Das Buch

Baba Dunja ist eine Tschernobyl-Heimkehrerin. Wo der Rest der Welt nach dem Reaktorunglück die tickenden Geigerzähler und die strahlenden Waldfrüchte fürchtet, baut sich die ehemalige Krankenschwester mit Gleichgesinnten ein neues Leben auf. Wasser gibt es aus dem Brunnen, Elektrizität an guten Tagen und Gemüse aus dem eigenen Garten. Die Vögel rufen im Niemandsland so laut wie nirgends sonst, die Spinnen weben verrückte Netze, und manchmal kommt sogar ein Toter auf einen Plausch vorbei. Während der sterbenskranke Petrov in der Hängematte Liebesgedichte liest, die Gavrilovs im Garten Schach spielen und die Melkerin Marja mit dem fast hundertjährigen Sidorow anbandelt, schreibt Baba Dunja Briefe an ihre Tochter Irina, die Chirurgin bei der deutschen Bundeswehr ist. Und an ihre Enkelin Laura. Doch dann kommen Fremde ins Dorf – und die Gemeinschaft steht erneut vor der Auflösung.

Komisch, klug und herzzerreißend erzählt Alina Bronsky die Geschichte eines Dorfes, das es nicht mehr geben soll – und einer außergewöhnlichen Frau, die im hohen Alter ihr selbstbestimmtes Paradies findet. Auf kleinem Raum gelingt ihr eine märchenhafte und zugleich fesselnd gegenwärtige Geschichte.

Die Autorin

Alina Bronsky, geboren 1978 in Jekaterinburg/Russland, lebt seit Anfang der Neunzigerjahre in Deutschland. Ihr Debütroman »Scherbenpark« wurde zum Bestseller, ist inzwischen beliebte Lektüre im Deutschunterricht und wurde fürs Kino verfilmt. Es folgten die Romane »Die schärfsten Gerichte der tatarischen Küche« und »Nenn mich einfach Superheld«. Die Rechte an Alina Bronskys Romanen wurden in 20 Länder verkauft. Sie lebt in Berlin.

1529

Alina Bronsky

BABA DUNJAS LETZTE LIEBE

Roman

Kiepenheuer & Witsch

MIX
Papier aus verantwor-
tungsvollen Quellen
FSC® C083411

Verlag Kiepenheuer & Witsch, FSC® N001512

2. Auflage 2017

Umschlaggestaltung: Barbara Thoben, Köln
Umschlagmotiv: © Rüdiger Trebels
Abbildung Hahn im Innenteil: © inga – Fotolia.com
Gesetzt aus der Cochin
Satz: Buch-Werkstatt GmbH, Bad Aibling
Druck und Bindung: CPI books GmbH, Leck
ISBN 978-3-462-05028-8

In der Nacht weckt mich wieder Marjas Hahn Konstantin. Für Marja ist er eine Art Ersatzmann. Sie hat ihn großgezogen und schon als Küken gehätschelt und verwöhnt; jetzt ist er ausgewachsen und zu nichts zu gebrauchen. Stolziert herrisch über ihren Hof und schielt zu mir rüber. Seine innere Uhr ist durcheinander, schon immer gewesen, aber ich glaube nicht, dass es mit der Strahlung zu tun hat. Man kann sie nicht für alles, was blöd zur Welt kommt, verantwortlich machen.

Ich lupfe die Bettdecke und lasse die Füße auf den Boden. Auf den Dielen liegt ein Vorleger, den ich aus alten, in Streifen gerissenen Laken geflochten habe. Im Winter habe ich viel Zeit, weil ich mich dann nicht um den Garten kümmern muss. Im Winter gehe ich selten raus, nur um Wasser oder Holz zu holen oder um Schnee vor meiner Haustür zu schippen. Aber jetzt ist Sommer, und ich bin früh morgens auf den Beinen, um Marjas Hahn den Hals umzudrehen.

Jeden Morgen bin ich erstaunt, wenn ich auf meine Füße schaue, die knotig und breit sind in den deutschen Trekkingsandalen. Die Sandalen sind robust. Sie überleben alles, in ein paar Jahren sicher auch mich.

Ich hatte nicht immer so breit getretene Füße. Sie waren mal zierlich und schlank, bestäubt mit trockenem Straßendreck, wunderschön ohne jeden Schuh. Jegor hat meine Füße geliebt. Er hat mir verboten, barfuß zu laufen, weil Männern schon beim Anblick meiner Zehen heiß wurde.

Wenn er jetzt vorbeischaut, dann zeige ich auf die Wülste in den Trekkingsandalen und sage: Siehst du, was von der Pracht übrig geblieben ist?

Und er lacht und sagt, sie seien immer noch hübsch. Seit er tot ist, ist er sehr höflich, der Lügner.

Ich brauche ein paar Minuten, um den Kreislauf in Schwung zu bringen. Ich stehe da und halte mich am Ende des Bettes fest. In meinem Kopf ist es ein bisschen schummrig. Marjas Hahn Konstantin krächzt, als würde er gerade erwürgt. Vielleicht ist mir jemand zuvorgekommen.

Ich nehme meinen Bademantel vom Stuhl. Er war einmal bunt, rote Blumen vor schwarzem Hintergrund. Jetzt sieht man die Blumen nicht mehr. Aber er ist sauber, das ist mir wichtig. Irina hat versprochen, mir einen neuen zu schicken. Ich schlüpfe hinein und binde den Gürtel. Ich schüttle die Daunendecke aus, lege sie aufs

Bett und streiche sie glatt, breite den bestickten Überwurf darüber aus. Dann gehe ich Richtung Tür. Die ersten Schritte nach dem Aufwachen sind immer langsam.

Der Himmel hängt hellblau wie ein verwaschenes Bettlaken über dem Dorf. Ein Stück Sonne ist zu sehen. Das will nicht in meinen Kopf, dass dieselbe Sonne für alle scheint: für die Königin in England, für den Negerpräsidenten in Amerika, für Irina in Deutschland, für Marjas Hahn Konstantin. Und für mich, Baba Dunja, die bis vor dreißig Jahren Knochenbrüche geschient und Babys anderer Leute in Empfang genommen hat und heute beschließt, eine Mörderin zu werden. Konstantin ist ein dummes Geschöpf, sein Lärm ist nutzlos. Außerdem habe ich schon lange keine Hühnersuppe mehr gegessen.

Der Hahn sitzt auf dem Zaun und schielt mich an. Aus dem Augenwinkel sehe ich Jegor, der gegen den Stamm meines Apfelbaums lehnt. Sein Mund ist bestimmt spöttisch verzogen. Der Zaun steht schief und wackelt im Wind. Der dumme Vogel balanciert darauf wie ein betrunkener Seiltänzer.

»Komm her, mein Schätzchen«, sage ich. »Komm, ich mach dich still.«

Ich strecke die Hand aus. Er schlägt mit den Flügeln und kreischt. Sein Kehllappen ist eher grau als rosa und zittert nervös. Ich versuche mich zu erinnern, wie alt er ist. Marja wird es mir nicht verzeihen, denke ich. Meine ausgestreckte Hand bleibt in der Luft hängen.

Und dann, noch bevor ich den Hahn berührt habe, fällt er vor meine Füße.

Marja hat gesagt, es würde ihr das Herz brechen. Also muss ich es tun.

Sie sitzt bei mir im Hof und schnäuzt sich in ein kariertes Taschentuch. Sie hat sich abgewandt, damit sie nicht sehen muss, wie ich die blass gesprenkelten Federn rausrupfe und in eine Plastiktüte werfe. Flaum schwebt in der Luft.

»Er hat mich geliebt«, sagt sie. »Er hat mich immer so angeguckt, wenn ich in den Hof kam.«

Die Tüte ist halb voll. Fast schon unanständig nackt liegt Konstantin auf meinem Schoß. Sein eines Auge ist halb offen und guckt zum Himmel.

»Schau«, sagt sie. »Es sieht aus, als würde er noch zuhören.«

»Es gibt sicher nichts, was er von dir noch nicht gehört hat.«

Das ist die Wahrheit. Marja hat immer mit ihm geredet. Das lässt mich befürchten, dass ich ab jetzt weniger Ruhe haben werde. Außer mir braucht jeder Mensch jemanden zum Reden, und Marja ganz besonders. Ich bin ihre nächste Nachbarin, nur der Zaun trennt unsere Grundstücke. Und der Zaun war vielleicht einmal ein richtiger. Inzwischen ist er eher eine Idee von einem Zaun.

»Erzähl endlich, wie es genau passiert ist.« Marjas Stimme ist die einer Witwe.

»Ich habe es dir schon tausendmal erzählt. Ich bin rausgekommen, weil er geschrien hat, und dann ist er plötzlich vom Zaun gekippt. Direkt vor meine Füße.«

»Vielleicht hat ihn jemand verwünscht.«

Ich nicke. Marja glaubt an so was. Tränen fließen

über ihr Gesicht und verschwinden in den tiefen Runzeln. Dabei ist sie mindestens zehn Jahre jünger als ich. Mit der Bildung hat sie es nicht so, sie ist von Beruf Melkerin, eine einfache Frau. Hier hat sie nicht einmal eine Kuh, aber immerhin eine Ziege, die bei ihr im Haus lebt und mit ihr fernsieht, wenn der Fernseher etwas zeigt. So hat sie Gesellschaft von einem atmenden Wesen. Bloß, dass die Ziege nicht antworten kann. Also antworte ich.

»Wer soll ihn schon verwünschen, deinen dummen Vogel.«

»Schsch. So spricht man nicht über einen Toten. Und außerdem, die Menschen sind böse.«

»Die Menschen sind faul«, sage ich. »Willst du ihn kochen?«

Sie winkt ab.

»Gut. Dann mach ich es.«

Sie nickt und guckt verstohlen in die Tüte mit den Federn. »Ich wollte ihn eigentlich begraben.«

»Das hättest du vorher sagen sollen. Jetzt müsstest du die Federn dazulegen, damit ihn seine Leute im Himmel nicht auslachen.«

Marja denkt nach. »Ach, was soll's. Du kochst ihn und gibst mir die Hälfte der Suppe.«

Ich wusste, dass es so ausgehen würde. Wir essen selten Fleisch, und Marja ist eine verfressene Person.

Ich nicke und ziehe das verschrumpelte Lid über das glasige Auge des Hahns.

Das mit dem Himmel habe ich nur so gesagt. Ich glaube nicht daran. Das heißt, ich glaube schon an einen Himmel, der über unseren Köpfen ist, aber ich weiß, dass unsere Toten nicht dort sind. Ich habe nicht einmal als kleines Mädchen daran geglaubt, dass man sich in die Wolken kuscheln kann wie in eine Daunendecke. Ich habe geglaubt, dass man sie essen kann wie Zuckerwatte.

Unsere Toten sind unter uns, oft wissen sie nicht einmal, dass sie tot sind und dass ihre Körper in der Erde verrotten.

Tschernowo ist nicht groß, aber wir haben einen eigenen Friedhof, weil die in Malyschi unsere Leichen nicht mehr wollen. Im Moment wird in der Stadtverwaltung diskutiert, ob für eine Beisetzung der Tschernowo-Leute in Malyschi ein Bleisarg vorgeschrieben werden soll, weil verstrahlte Materie auch dann weiterstrahlt, wenn sie nicht mehr lebt. Solange haben wir einen provisorischen Friedhof dort, wo vor hundertfünfzig Jahren einmal eine Kirche war und bis vor dreißig Jahren eine Dorfschule. Es ist ein bescheidener Ort mit Holzkreuzen, und die wenigen Gräber sind nicht einmal eingezäunt.

Wenn man mich fragt, so will ich gar nicht in Malyschi beerdigt werden. Nach dem Reaktorunglück bin ich, wie fast alle, weggegangen. Es war 1986, und am Anfang wussten wir nicht, was passiert war. Dann kamen Liquidatoren nach Tschernowo, in Schutzanzügen und mit piepsenden Geräten, die sie die Hauptstraße hoch und runter trugen. Panik brach aus, Familien mit kleinen Kindern packten am schnellsten ihre Sachen, rollten Matratzen zusammen und stopften Schmuck und Socken in Teekessel, banden Möbelstücke auf die Dachgepäckträger und ratterten davon. Eile war geboten, denn das Unglück war nicht erst am Vortag passiert, doch niemand hatte uns rechtzeitig Bescheid gesagt.

Ich war da noch sehr jung, fünfzig irgendwas, aber ich hatte keine Kinder mehr im Haus. Deswegen war ich nicht sehr besorgt. Irina studierte in Moskau, und Alexej machte gerade eine Tour im Altaigebirge. Ich war eine der Letzten, die Tschernowo verließen. Ich hatte anderen geholfen, ihre Kleider in Säcke zu stopfen und Bodenbretter rauszureißen, unter denen Geldscheine versteckt waren. Eigentlich sah ich nicht ein, warum ich überhaupt irgendwohin gehen sollte.

Jegor hat mich in eines der letzten Autos geschoben, das die aus der Hauptstadt geschickt hatten, und sich dazugequetscht. Jegor hat sich von der Panik anstecken lassen, als müssten seine Eier noch viele Kinder hervorbringen und daher dringend in Sicherheit gebracht werden. Dabei hatte er längst nicht nur seinen Unterleib leer und schlaff gesoffen. Die Nachricht vom Reaktor brachte ihn vorübergehend zur Vernunft, und er jammerte vom Weltuntergang und ging mir damit auf die Nerven.

Ich habe keinen großen Topf im Haus, weil ich seit meiner Rückkehr allein lebe. Gäste stehen nicht gerade Schlange. Ich koche nie auf Vorrat, sondern jeden Tag frisch, nur Borschtsch wärme ich mir mehrmals auf. Der wird mit jedem Tag, den er steht, besser.

Ich nehme den größten Topf, den ich finde, aus dem Schrank. Suche einen passenden Deckel. Ich habe viele Deckel gesammelt über die Jahre, die alle nicht richtig passen, aber für mich gut genug sind. Ich schneide dem Hahn den Kopf und die Füße ab, die mit in die Suppe kommen, und dann noch den Bürzel, den ich der Katze gebe. Ich lege den Hahn in den Topf, dazu den Kopf und die Füße, eine geschälte Karotte aus dem Garten, eine Zwiebel mit Schale, damit die Brühe eine goldene Farbe bekommt. Gieße Brunnenwasser aus dem Eimer hinzu, so viel, dass alles gerade so bedeckt ist. Die Brühe wird nahrhaft sein, fett und glänzend.

Als der Reaktor passierte, zählte ich mich zu denjenigen, die glimpflich davonkamen. Meine Kinder waren in Sicherheit, mein Mann würde sowieso nicht mehr lange halten, und mein Fleisch war damals schon zäh. Im Grunde hatte ich nichts zu verlieren. Und ich war bereit zu sterben. Meine Arbeit hatte mich gelehrt, diese Möglichkeit immer im Auge zu behalten, um nicht eines Tages überrumpelt zu werden.

Bis heute wundere ich mich jeden Tag darüber, dass ich noch da bin. Jeden zweiten frage ich mich, ob ich vielleicht eine von den Toten bin, die umhergeistern und nicht zur Kenntnis nehmen wollen, dass ihr Name bereits auf einem Grabstein steht. Einer müsste es ihnen sagen, aber wer ist schon so dreist. Ich freue mich, dass mir niemand mehr etwas zu sagen hat. Ich habe alles gesehen und vor nichts mehr Angst. Der Tod kann kommen, aber bitte höflich.

Das Wasser im Kochtopf wirft Blasen. Ich drehe die

Flamme herunter, nehme eine Kelle vom Haken und beginne, den Schaum abzuschöpfen, der sich dick und grau an die Ränder drängt. Würde das Wasser weiterbrodeln, würde es den Schaum in viele kleine Stücke reißen und in der ganzen Brühe verteilen. Auf dem Schöpflöffel sieht der Schaum trüb und unappetitlich wie eine zusammengefallene graue Wolke aus. Ich lasse ihn in den Katzennapf gleiten. Die Katzen sind noch unempfindlicher als wir. Diese ist die Tochter der Katze, die schon in meinem Haus war, als ich zurückkam. Eigentlich war sie die Hausherrin, und ich war ihr Gast.

Die wenigen Nachbardörfer sind verlassen. Die Häuser stehen da, aber die Wände sind schief und dünn, und die Brennnesseln ragen bis unters Dach. Es gibt nicht einmal Ratten, weil Ratten Müll brauchen, frischen, fetten Müll. Ratten brauchen Menschen.

Ich hätte mir jedes Haus in Tschernowo aussuchen können, als ich zurückkehrte. Ich nahm mein altes. Die Tür stand offen, die Gaspatrone war nur halb leer, der Brunnen war einige Minuten zu Fuß entfernt, und der Garten war noch zu erkennen. Ich habe Brennnesseln gerupft und Brombeeren zurückgeschnitten, wochenlang habe ich nichts anderes getan. Mir war klar: Ich brauche diesen Garten. Die Fußmärsche bis zur Bushaltestelle und die lange Fahrt nach Malyschi kann ich nicht oft machen. Aber essen muss ich dreimal am Tag.

Seitdem bewirtschafte ich ein Drittel des Gartens. Das reicht. Hätte ich eine große Familie, würde ich den kompletten Garten freilegen. Ich profitiere davon, dass ich mich vor dem Reaktor so gut um alles gekümmert habe. Das Gewächshaus ist ein Schmuckstück aus Jegors Hand, und ich ernte Tomaten und Gurken eine Woche früher als alle anderen im Dorf. Es gibt Stachelbeeren in Grün und Rot und Johannisbeeren in Rot, Weiß und Schwarz, alte Sträucher, die ich im Herbst vorsichtig stutze, damit neue Triebe kommen. Ich habe zwei Apfelbäume und eine Himbeerhecke. Es ist eine fruchtbare Gegend hier.

Die Suppe simmert auf kleinster Flamme. Zwei, besser drei Stunden lasse ich sie köcheln, bis das alte Fleisch weich wird und sich von den Knochen löst. Es ist wie beim Menschen: Altes Fleisch kriegt man nicht so leicht herunter.

Der Geruch der Hühnersuppe macht die Katze unruhig. Sie schleicht miauend um meine Füße und reibt sich an meinen Waden in den dicken Wollstrümpfen. Dass ich älter werde, merke ich daran, dass ich friere. Sogar im Sommer gehe ich nicht mehr ohne Wollsocken aus dem Haus.

Die Katze ist trächtig, ich werde ihr nachher auch die Haut und die Knorpel des Hahns geben. Manchmal jagt sie Käfer und Spinnen. Wir haben viele Spinnen in Tschernowo. Seit dem Reaktor hat sich das Ungeziefer vermehrt. Vor einem Jahr war ein Biologe da, der die Spinnennetze in meinem Haus fotografiert hat. Ich lasse sie hängen, auch wenn Marja sagt, dass ich eine schlampige Hausfrau bin.

Das Gute am Altsein ist, dass man niemanden mehr um Erlaubnis zu fragen braucht – nicht, ob man in seinem alten Haus wohnen kann, und nicht, ob man die

Spinnennetze hängen lassen darf. Auch die Spinnen waren vor mir hier. Der Biologe hat sie mit einer Kamera aufgenommen, die aussah wie eine Waffe. Er hat Scheinwerfer aufgestellt und jede Ecke meines Hauses ausgeleuchtet. Ich hatte nichts dagegen, er sollte ruhig seine Arbeit machen. Er musste nur sein Gerät leiser stellen, von dessen Piepsen mir der Rücken juckte.

Der Biologe hat mir erklärt, warum wir so viel Ungeziefer haben. Weil seit dem Reaktor viel weniger Vögel in unserer Gegend sind. Deswegen vermehren sich die Käfer und die Spinnen ungehindert. Warum hier allerdings so viele Katzen sind, konnte er mir auch nicht erklären. Wahrscheinlich haben Katzen irgendetwas, das sie vor bösen Dingen schützt.

Eine zweite Katze schleicht zur Tür herein. Die Katze, die bei mir wohnt, macht sofort einen Buckel. Sie ist ein Biest und lässt niemanden über die Schwelle.

»Komm, sei lieb«, sage ich, aber sie ist nicht lieb. Sie macht Zsschsch und Pschsch, und das Fell steht ihr zu Berge. Sie hat nur einen halben Schwanz, irgendjemand hat ihr den Rest abgeschlagen. Ich hatte immer Katzen und Hühner, früher auch mal Hunde, das gefällt mir am Dorfleben. Auch ein Grund, warum ich zurückgekehrt bin. Die Tiere hier sind nicht so krank im Kopf wie die in der Stadt, selbst wenn sie verstrahlt und verkrüppelt sind. Die Enge und der Lärm der Stadt lassen Katzen und Hunde durchdrehen.

Irina ist damals extra aus Deutschland eingeflogen, um mich von der Rückkehr nach Tschernowo abzuhalten. Sie hat es mit allen Mitteln versucht, selbst geweint hat sie. Meine Irina, die nie geweint hat, schon als kleines Mädchen nicht. Dabei hatte ich ihr das Weinen nicht verboten, im Gegenteil, es wäre manchmal gesund gewesen. Aber sie war wie ein Junge, ist auf Bäume und Zäune geklettert, ist auch mal runtergefallen, hat Prügel kassiert und nie geweint. Danach hat sie Medizin studiert, jetzt ist sie Chirurgin bei der Deutschen Bundeswehr. Das ist mein Mädchen. Und dann meinte sie, sie müsste ausgerechnet weinen, nur weil ich nach Hause zurückkehren wollte.

»Ich habe dir nie gesagt, was du zu tun hast«, habe ich ihr erklärt. »Und ich will auch nicht, dass du mir sagst, was ich zu tun habe.«

»Aber Mutter, wer kann denn bei klarem Verstand in die Todeszone zurückwollen?«

»Du sagst hier Wörter, Mädchen, von denen du nichts verstehst. Ich habe es mir angeschaut, die Häuser stehen noch, und im Garten wächst das Unkraut.«

»Mutter, du weißt doch, was Radioaktivität ist. Alles ist verstrahlt.«

»Ich bin alt, mich kann nichts mehr verstrahlen, und wenn doch, dann ist es kein Weltuntergang.«

Sie hat sich die Augen trocken getupft mit einer Bewegung, an der man genau gesehen hat, dass sie Chirurgin ist.

»Ich werde dich dort nicht besuchen kommen.«

»Ich weiß«, sage ich, »aber du kommst sowieso nicht oft.«

»Ist das ein Vorwurf?«

»Nein. Ich finde es gut. Warum soll man auch bei seinen Alten hocken.«

Sie hat mich ein wenig schief angeguckt, wie vor vielen Jahren, als sie noch klein war. Sie hat mir nicht geglaubt. Aber ich meinte es genauso, wie ich es sagte. Sie hat hier nichts zu suchen, und ich mache ihr kein schlechtes Gewissen deswegen.

»Alle paar Jahre können wir uns in Malyschi treffen«, sagte ich. »Oder wann immer du kommst. Solange ich noch lebe.«

Ich wusste ja, dass sie nicht viel Urlaub hat. Und wenn, dann muss sie ihn nicht hier verbringen. Außerdem waren damals die Flüge noch sehr teuer, viel teurer als heute.

Es gab eine Sache, über die wir nicht gesprochen haben. Wenn Dinge besonders wichtig sind, dann redet man nicht über sie. Irina hat eine Tochter, und ich habe eine Enkelin, die einen sehr schönen Namen trägt: Laura. Kein Mädchen heißt bei uns Laura, nur meine Enkelin, die ich noch nie gesehen habe. Als ich ins Dorf zurückging, war Laura gerade ein Jahr alt geworden. Als ich nach Hause zurückkehrte, war mir klar, dass ich sie niemals sehen würde.

Früher sind alle Enkel in den Sommerferien aus der Stadt zu ihren Großeltern aufs Land gefahren. Die Schulferien waren lang, drei ganze heiße Sommermonate, und die Eltern in den Städten hatten nicht so lange Urlaub. Auch in unserem Dorf liefen von Juni bis August Stadtkinder herum, die in kürzester Zeit sonnengebräunte Gesichter, ausgeblichene Locken und erdverkrustete Füße bekamen. Sie gingen zusammen in den Wald, um Beeren zu pflücken, und badeten im Fluss. Lärmend wie ein Vogelschwarm zogen sie über die Hauptstraße, klauten Äpfel und rauften im Dreck.

Wenn sie zu wild wurden, schickte man sie auf den Acker, um die Kartoffelkäfer einzusammeln, die unsere Ernten gefährdeten. Eimerweise wurden die Käfer von den Pflanzen gepflückt und später verbrannt. Ich habe immer noch das Geräusch der unzähligen Panzer im Ohr, die im Feuer knackten. Jetzt fehlen uns die kleinen Langfinger – eine solche Kartoffelkäferplage wie nach dem Reaktor hat die Welt noch nicht gesehen.

Alle in Tschernowo wussten, dass ich medizinische Hilfsschwester war. Ich wurde gerufen, wenn sich die Kinder etwas gebrochen hatten oder das Bauchweh gar nicht mehr aufhörte. Einmal hatte ein Junge zu viele unreife Pflaumen gegessen. Die Fasern hatten in seinem Darm einen Verschluss verursacht. Er war blass und krümmte sich auf dem Boden, und ich sagte, sofort ins Krankenhaus, und der Junge wurde mit einer Operation gerettet. Auch einer mit Blinddarm und einer, der einen Bienenstich nicht vertragen hatte.

Ich mochte diese Kinder, ihre zappeligen Füße, die zerkratzten Arme, die hohen Stimmen. Wenn es etwas gibt, das ich heute vermisse, dann sie. Wer jetzt in Tschernowo lebt, hat keine Enkel. Und wenn doch, dann sieht er sie höchstens auf Fotos. Meine Wände sind voll mit Fotos von Laura. Irina schickt mir neue, in fast jedem Brief.

Wahrscheinlich hätte auch Laura in kürzester Zeit ein sorgloses Ferienkind werden können. Wenn alles wie früher wäre. Aber es fällt mir schwer, mir das vorzustellen. Auf den Babyfotos hatte sie ein kleines, ernstes Gesicht, und ich fragte mich, welche Gedanken in diesem Kopf lebten und ihre Schatten aus Lauras Augen warfen. Sie trug niemals Haarspangen oder große Schleifen im Haar. Schon als Baby hat sie nicht gelächelt.

Auf den neueren Fotos hat sie lange Beine und fast weiße Haare. Sie guckt immer noch ernst. Sie hat mir noch nie geschrieben. Ihr Vater ist ein Deutscher. Irina hatte mir ein Hochzeitsfoto versprochen – eines der wenigen Versprechen, die sie nicht gehalten hat. Jetzt richtet sie mir immer Grüße von ihm aus. Alle Briefe aus Deutschland sammle ich in einer Kiste im Schrank.

Ich frage Irina nie, ob Laura gesund ist. Auch nach Irinas eigener Gesundheit erkundige ich mich nicht. Wenn es etwas gibt, wovor ich Angst habe, dann vor einer Antwort auf diese Frage. Deswegen bete ich einfach nur für sie, obwohl ich nicht glaube, dass irgendjemand meine Gebete hört.

Irina fragt mich immer nach meiner Gesundheit. Wenn wir uns sehen – alle zwei Jahre –, fragt sie mich zuerst nach meinen Blutwerten. Als ob ich die wüsste. Sie fragt mich nach meinem Blutdruck und ob ich mir regelmäßig die Brüste durchleuchten lasse.

»Mädchen«, sage ich, »guck mich an. Siehst du, wie alt ich bin? Und das alles ohne Vitamine und Operationen und Vorsorgeuntersuchungen. Wenn sich jetzt irgendwas Schlechtes in mir einnistet, dann lasse ich es in Ruhe. Niemand soll mich mehr anfassen und mit Nadeln pieksen, wenigstens das habe ich mir verdient.«

Irina schüttelt dann den Kopf. Sie weiß zwar, dass ich recht habe, kann aber aus ihrem Chirurgendenken nicht raus. In ihrem Alter habe ich ähnlich gedacht. So wie ich in ihrem Alter gewesen bin, hätte ich mit mir selbst heute den größten Streit angezettelt.

Wenn ich mir unser Dorf angucke, habe ich nicht das Gefühl, dass hier nur lebende Leichen herumlaufen. Manche werden es nicht mehr lange machen, das ist klar, und daran ist nicht nur der Reaktor schuld. Wir sind wenige, man braucht gerade mal zwei Hände, um alle zu zählen. Vor fünf oder sieben Jahren noch waren wir mehr, als plötzlich ein Dutzend Leute auf einmal meinem Beispiel folgte und nach Tschernowo zurückkam. Einige haben wir inzwischen begraben. Andere sind wie die Spinnen, unverwüstlich, nur sind ihre Netze eben ein bisschen wirrer.

Marja zum Beispiel ist schon ein wenig irre mit ihrer Ziege und ihrem Hahn, der da in meinem Topf so schön vor sich hin brodelt. Im Gegensatz zu mir kennt Marja ihren Blutdruck sehr genau, weil sie ihn dreimal am Tag misst. Ist er zu hoch, schmeißt sie eine Pille ein. Ist er zu niedrig, nimmt sie eine andere Pille. So hat sie immer etwas zu tun. Sie langweilt sich aber trotzdem.

Sie hat einen Medikamentenschrank, damit könnte man das ganze Dorf umbringen. Marja füllt ihn regelmäßig in Malyschi auf. Gegen Schnupfen und Durchfall nimmt sie Antibiotika. Ich sage ihr, sie soll das lassen, weil es noch mehr kaputt macht, aber sie hört nicht auf mich. Ich sei ihr zu gesund, sagt sie, ich würde nichts davon verstehen. Und in der Tat weiß ich nicht, wann ich meinen letzten Schnupfen hatte.

Der Duft der Hühnerbrühe zieht durch mein kleines Haus und zum Fenster hinaus. Ich hole den Hahn aus dem Topf und lege ihn zum Abkühlen auf einen Teller. Die Katze kreischt, ich drohe ihr mit dem Finger. Das Gemüse fische ich heraus, es hat seinen Geschmack an die Brühe abgegeben und ist jetzt nur noch welk. Ich wickele es in eine alte Zeitung und bringe es zum Kompost. Auf meinem Komposthaufen wachsen Kürbisse, im Herbst werde ich sie ernten und im Dorf verteilen, weil ich sonst den ganzen Winter über Hirsebrei mit Kürbis essen müsste.

Ich lasse die Brühe durch ein Sieb in einen zweiten Kochtopf laufen. Sie schaut mich aus vielen goldenen Fettaugen an. Ich habe in einer Zeitschrift gelesen, dass man auch das Fett aus der Brühe entfernen soll. Aber das sehe ich nicht ein. Wer leben will, muss Fett essen. Zucker muss man manchmal auch essen, und vor allem viel Frisches. Im Sommer esse ich fast jeden Tag Gurken- oder Tomatensalat. Und bündelweise Kräuter, die dick und grün in meinem Garten wachsen – Dill, Schnittlauch, Petersilie, Basilikum, Rosmarin.

Das Fleisch ist nicht mehr so heiß, ich kann es mit den Fingern anfassen. Vorsichtig löse ich es von den Knochen und lege es in eine Schüssel. Meinen Kindern habe ich es früher klein geschnitten und dabei aufgepasst, dass ich die Fleischstücke gerecht verteile. Alexej war, obwohl nur achtzehn Monate jünger als Irina, ein schmächtiges Bürschlein, und ich war manchmal versucht, ihm die besseren Stücke auf den Teller zu legen.

Wir aßen viel Hühnersuppe, weil es in Tschernowo viele Hühner gab. Aus der Brühe machte ich Borschtsch und Tschschi und Soljanka. Es wurde niemals langweilig. Ich stelle mir vor, wie Irina für Laura das Fleisch früher in kleine Stücke geschnitten hat. Wenn Laura bei mir wäre, würde ich ihr erzählen, wie ihre Mutter als Kind war. Aber Laura ist weit weg und schaut mich von der Wand aus mit traurigen grauen Augen an.

Der Tag vergeht schnell, wenn man Aufgaben hat. Ich räume das Haus auf. Ich wasche einige Unterhosen und hänge sie an der Leine im Garten auf. Die Sonne trocknet und bleicht sie, und nach zwei Stunden kann ich sie falten und in den Schrank legen.

Ich schrubbe den Topf, den ich schmutzig gemacht habe, mit Sand aus, spüle mit Brunnenwasser nach und lasse ihn ebenfalls in der Sonne trocknen. Zwischendrin muss ich eine Pause machen, ich setze mich mit einer Zeitung auf die Bank vors Haus. Die Zeitungen habe ich von Marja. Sie hat sie in ihrem Haus gefunden, als sie einzog. Dort hat früher eine alleinstehende Frau gewohnt, die viel Zeitung las, und auch die guten Frauenzeitschriften: die *Arbeiterin* und die *Bäuerin*, jede Ausgabe. Die lagen mit Wäscheleine zusammengebunden unterm Bett und im Geräteschuppen. Marja hat mir alle gegeben. Ich lese sie, wenn ich tagsüber Zeit habe, oder vor dem Einschlafen.

In der *Bäuerin*, die ich aufgeschlagen habe, sind Rezepte mit Sauerampfer, ein Schnittmuster, eine kurze

Liebesgeschichte, die in einer Kolchose spielt, und eine Erörterung zum Thema, warum Frauen in ihrer Freizeit keine Hosen tragen sollten. Sie ist vom Februar 1986.

Ich fülle die Hälfte der Suppe in einen kleineren Topf um und suche einen passenden Deckel. An den Henkeln gepackt, trage ich ihn zu Marja. Einmal muss ich kurz blinzeln, als ich den Zaun passiere. Konstantins Geist sitzt da und schaukelt im Wind. Ich nicke ihm zu, und er antwortet mit wildem Flügelschlagen.

Vor Marjas Haus drängen sich die Katzen, und das ist kein Wunder: Drin riecht es nach Baldrian. Marja ist eine große Frau, vor allem in der Breite. Sie sitzt in einem Sessel, ihr Körper wölbt sich über die Lehnen. Ihr Blick ist starr auf den Fernseher gerichtet, der mit zwei Antennen ausgestattet ist. Der Bildschirm ist schwarz.

»Was zeigen die heute?«, frage ich und stelle den Topf auf dem Küchentisch ab.

»Nur Scheiß«, sagt Marja. »Wie immer.«

Deswegen schalte ich meinen Fernseher auch nie ein. Nur manchmal entstaube ich ihn, und die Katze schläft gern darauf, auf dem Spitzendeckchen. Bei meinem letzten Besuch in Malyschi habe ich in einem Schaufenster gesehen, dass es inzwischen Fernseher gibt, die man wie ein Bild an die Wand hängt. Marjas dagegen ist ein dickbauchiger Kasten, der die Hälfte des Raums einnimmt.

»Was hast du mitgebracht?« Sie dreht sich nicht zu mir um, weil das schwer geht, wenn man so im Sessel eingezwängt ist.

»Die Suppe«, sage ich. »Deinen Anteil.«

Sofort beginnt sie zu heulen, und die Ziege, die in Marjas Bett liegt, stimmt ein klägliches »Määähh!« an.

Als ich die Teller heraushole, komme ich nicht umhin festzustellen, dass Marja sich in der letzten Zeit ganz schön gehen lässt.

Ihr Geschirr ist mit einem Fettfilm überzogen, was verrät, dass sie an Seife spart. Im Ausguss gammelt und schimmelt es. Und diese Frau erzählt mir, ich soll meine Spinnennetze wegmachen. Auf dem Tisch liegt ein Haufen bunter Pillen.

»Marja«, sage ich streng. »Was ist los?«

Sie winkt mit der einen Hand ab und wühlt mit der anderen zwischen ihren Brüsten. Dort, zwischen mehreren Schichten ungewaschener Kleidung, holt sie ein Foto heraus und gibt es mir.

Ich schiebe meine Brille auf die Stirn und halte es mir näher an die Augen. Das Foto ist schwarz-weiß, darauf ein Paar: ein Mädchen in weißem Brautkleid mit langer Schleppe und ein Bursche in schwarzem Anzug mit breiten Schultern und niedriger Stirn. Das Mädchen ist von herzzerreißender Schönheit: die großen Augen unter dichten Wimpern und ein Mund, der süße Küsse verspricht. Es wirkt zerbrechlich in dem etwas zu großen Brautkleid, das nicht genau angepasst wurde. Und obwohl der Kontrast nicht größer sein könnte, erkenne ich sofort, dass das Mädchen Marja ist.

»Und das ist dein Alexander?«, frage ich.

Und Marja heult noch mehr und sagt, dass sie heute vor einundfünfzig Jahren geheiratet habe.

Ich hätte längst darauf kommen müssen, dass Marja nicht einfach nur faul und schlampig ist. Sondern dass sie faul und schlampig ist, weil sie Depressionen hat. Als ich noch medizinische Hilfsschwester war, hatte niemand Depressionen, und wenn sich einer umbrachte, nannte man ihn geisteskrank, außer es geschah aus Liebe. Später las ich in der Zeitung, dass es neuerdings so etwas wie Depressionen gebe, und bei Irinas letztem Besuch habe ich sie danach gefragt.

Sie hat mich angeschaut, als ob sie gar nicht antworten wollte. Warum ich das frage, wollte sie wissen, als wäre es ein Staatsgeheimnis.

Ich sagte, ich wolle einfach nur wissen, ob irgendwas dran sei. Und Irina sagte, in Deutschland sei das sehr verbreitet, praktisch wie ein Magen-Darm-Virus.

Und wenn ich Marja ansehe, denke ich, vielleicht ist es irgendwann über die Landesgrenzen geschwappt. Wäre sie früher nach Tschernowo gegangen, hätte sie dem vielleicht entfliehen können. Wenn uns hier eins nichts anhaben kann, dann sind es die Epidemien der restlichen Welt.

Marja hat mir schon viel von ihrem Alexander erzählt. Hauptsächlich, dass er sie windelweich geprügelt hat und irgendwann im Suff von einem Traktor überfahren wurde. Sie hat ihn dann noch eine Weile gepflegt, und er hat sie weiter beschimpft und vom Bett aus mit seinem Stock nach ihr geworfen oder mit anderen schweren Sachen, die er gerade zur Hand hatte. Ein paar Tage vor dem Reaktor hat er mit einem Radio geschmissen und getroffen. Das Radio ist dabei kaputtgegangen, und das fand Marja so ärgerlich, dass sie mit den Liquidatoren und einem Sack Kleider davongegangen ist, ohne sich nach Alexander umzudrehen. Er wurde erst entdeckt, als er schon tot war, und jetzt macht sie sich Vorwürfe und malt ihre Vergangenheit rosarot an.

Ich habe dazu nur eine Meinung: Wenn zwei Erwachsene zusammenleben, aber keine Kinder haben, können sie genauso gut auch getrennt leben. Das ist dann keine Ehe, sondern Spielerei.

Diese Meinung behalte ich aber für mich.

Ich spüle zwei von Marjas Tellern gründlich ab und trockne sie mit einem Küchentuch, das sich als ein Stück Vorhang herausstellt. Marja brummelt vor sich hin, dass ich ihr Wasser verschwende und sie keine Kraft mehr habe, zum Brunnen zu gehen. Ich schnalze mit der Zunge, sie soll ruhig sein.

Sie quält sich aus dem Sessel und kommt an den Tisch. Ihr Körper ist gewaltig, der wacklige Stuhl unter ihrem Gesäß ächzt. Wie man in einem Dorf, wo man alle Lebensmittel entweder selbst heranziehen oder mühsam aus der Stadt besorgen muss, so fett werden kann, ist mir ein Rätsel.

Ich reiche ihr den Teller Hühnersuppe.

Als sie den Löffel in die Hand nimmt, in die goldene Brühe tunkt, an ihre Lippen führt, da sehe ich es auf einmal: Marja als blutjunge Braut, in deren Augen die Angst vor der Zukunft flimmert. Ihre frühere Schönheit ist nicht ganz gewichen, sie ist noch in diesem Raum, wie ein Gespenst. Wie viel einfacher habe ich es mein ganzes Leben lang gehabt: Nie schön gewesen zu sein bedeutet, keine Angst gehabt zu haben, die Schönheit zu verlieren. Nur meine Füße brachten die Männer um den Verstand, und jetzt komme ich nicht einmal mehr dran, um mir die Fußnägel zu schneiden. Neuerdings hilft mir Marja dabei.

Die Ziege springt aus Marjas Bett und kommt zu uns an den Tisch. Sie legt den Kopf auf Marjas Schoß und schielt zu mir rüber. Ich nehme einen Schluck Suppe, die klar und salzig ist wie Tränen.

Und ich denke, dass Marja nie hätte hierherkommen sollen. Es ist nicht die Strahlung. Es ist die Ruhe, die ihr zusetzt. Marja gehört in die Stadt, wo sie sich jeden Tag beim Bäcker zanken kann. Da hier niemand Lust hat, sich mit ihr zu streiten, spürt sie sich nicht mehr, quillt auf und geht dabei ein.

Es sind etwa dreißig Häuser, die entlang unserer Hauptstraße stehen. Nicht einmal die Hälfte von ihnen ist bewohnt. Jeder kennt jeden, jeder weiß, wo der andere herkommt, und ich vermute, dass jeder auch sagen könnte, wann der Nachbar aufs Klo geht und wie oft er sich in der Nacht umdreht. Was nicht bedeutet, dass hier alle aufeinanderhocken. Wer nach Tschernowo zurückkehrt, hat keine Lust auf Gemeinschaft.

Geld ist aber auch so ein Grund. Wohnraum ist in Malyschi zwar vorhanden, aber die grauen fünfstöckigen Häuser der Chruschtschow-Zeit haben löchrige Rohre und schimmelnde Pappwände. Anstelle eines

Gartens gibt es Innenhöfe mit einer rostigen Schaukel, dem von einer Rutsche übrig gebliebenen Gerüst und einer Palette nie geleerter Mülltonnen. Wer Tomaten pflanzen will, braucht eine Datsche außerhalb der Stadt, zu der einmal am Tag ein überfüllter Bus fährt. Ich hätte zur Miete wohnen müssen, und meine Rente hätte nur für ein Zimmer bei Fremden gereicht. Das Zimmer wäre klein gewesen.

Wir haben in Tschernowo aber auch Leute, für die Geld kein Problem ist, soweit ich es beurteilen kann. Die Eheleute Gavrilow zum Beispiel sind gebildete Menschen, das sehe ich ihren Nasenspitzen an. Und auch, dass sie es gewohnt sind, sich im Leben mit Komfort einzurichten. Für ihren Garten könnten sie Preise gewinnen. Sie haben ein Hochbeet mit Gurken, ein Gewächshaus und eine Vorrichtung, auf der sie in der warmen Jahreszeit Fleisch grillen wie im Fernsehen. Und sie haben Rosen, Rosen ohne Ende und in allen Farben, die in Büschen wachsen und den Zaun emporranken. Gavrilow steht oft im Anzug an diesen Rosen, und sobald er eine verwelkte Blüte erblickt, schneidet er sie ab. Gavrilowa tupft die Blätter mit einem Lappen ab, der in Seifenlauge getränkt ist, gegen die Blattläuse. Wenn man an ihrem Grundstück vorbeigeht, duftet es nach Honig und Rosenöl. Nur sprechen tun sie nie mit einem, und wenn ich dringend Salz bräuchte, würde ich woanders hingehen.

Ich könnte zu Lenotschka gehen, die von hinten wie ein Mädchen aussieht und von vorn wie eine Puppe. Eine Puppe, wie Irina sie als kleines Mädchen hatte, nur um Jahrzehnte gealtert. Lenotschka sitzt meistens in ihrem Haus, strickt einen endlos langen Schal und lächelt, wenn man sie anspricht. Antwortet aber nicht. Sie hat viele Hühner, die sich bei ihr wie die Fliegen vermehren. Zu Lenotschka könnte ich gehen, wenn ich etwas bräuchte, sie gibt immer ab, wenn sie etwas hat.

Zu Petrow würde ich auch gehen, nur hat er kein Salz im Haus. Er ist durchkrebst von Kopf bis Fuß. Nach der Operation wollte man ihn zum Sterben im Krankenhaus behalten. Er floh wie aus einem Gefängnis, sprang in seinem OP-Kittel aus dem Fenster, die Infusion hinter sich herziehend. Er zog in das Großelternhaus seiner Exfrau nach Tschernowo und hatte nicht viel mehr vor, als schnell und friedlich zu sterben. Das ist schon eine Weile her. Seit einem Jahr ist er da, als bislang Letzter angekommen. Petrow pflanzt in seinem Garten nichts an, weil er sagt, dass er den Krebs nicht weiter füttern will. Salz und Zucker sind ihm zu ungesund, also hat er beides nicht im Haus.

Ich stecke einen Löffel ein, trage den Teller Hühnersuppe über die Straße, die deutschen Trekkingsandalen wirbeln Staub auf. Ich rufe laut an Petrows Pforte, und als er nicht antwortet, gehe ich hinein. Er lebt noch und kommt von den Hecken herüber, sich den Hosenstall zumachend. In seinem Gürtel steckt eine kleine Axt mit einer rostigen Klinge. Unterm linken Arm klemmt ein vergilbtes Büchlein, das er wahrscheinlich in irgendeinem leerstehenden Haus entdeckt hat. Die ersten Monate nervte er ganz Tschernowo damit, dass er an die Türen klopfte und nach Lesestoff fragte – er war nur mit einer Tasche gekommen, in der Unterwäsche und ein Notizbuch lagen.

»Sei gegrüßt, Baba Dunja«, sagt er. »Ich habe es nicht so mit dem Gartenbau, und diese Brombeeren machen mich fertig.« Er zeigt mir seine zerkratzten Arme, und ich schüttle bedauernd den Kopf.

»Was steht Neues in der *Bäuerin?*«, erkundigt er sich.

Seine Haut ist so durchsichtig, dass ich mich frage, ob er nicht vielleicht doch inzwischen ein Geist ist.

»Du musst was essen«, sage ich. »Sonst hast du keine Kraft mehr.«

Er schnuppert am Teller.

»Der alte Hahn deiner fetten Freundin?«

Ich finde, dass er den Mund ganz schön voll nimmt, dafür, dass er so durchsichtig ist.

»Deswegen ist es endlich still«, sagt er und schnuppert noch mal.

»Iss.«

»Das bringt einen um. Salz, Fett und tierisches Eiweiß.«

Ich bin ein friedlicher Mensch, aber langsam bekomme ich Lust, ihm die Suppe in den Kragen zu schütten.

Er setzt sich auf die Bank vor dem Haus und poliert meinen Löffel an seinem Hemd.

»Ich kann dich gut leiden, Baba Dunja«, sagt er. Der Löffel zittert in seiner Hand. Er hat bestimmt seit Tagen nichts gegessen.

»Komm zu mir, wenn du Hunger hast«, sage ich. »Ich koche immer frisch.«

»Ich bin vielleicht ein Arschloch, aber kein Schmarotzer.«

»Du kannst zum Dank meine Fensterläden reparieren.«

»Guck mal, was ich gefunden habe«, sagt er ver-
schwörerisch und greift hinter sich.

Ich muss meine Brille auf die Stirn schieben, um es
zu erkennen. Eine blassblaue Schachtel Belomor, ver-
beult und mit verwaschenem Schriftzug.

»Wo hast du die her?«

»Hinter der Couch gefunden.«

»Sieht leer aus.«

»Sind aber noch drei drin.«

Er hält mir die Schachtel hin. Ich ziehe einen krum-
men Stängel heraus. Er holt einen weiteren hervor und
klemmt ihn sich zwischen die Zähne. Dann gibt er mir
Feuer. Der Rauch ätzt sich in meinen Rachen.

»Du bist kein Schmarotzer«, sage ich. »Du bist ein
großzügiger Mann, du teilst deine letzten Zigaretten
mit mir.«

»Ich bereue es schon.« Er zieht so gierig an seiner,
wie er gerade die Suppe gelöffelt hat. »Ich bin doch kein
Gentleman.«

Meine Zigarette geht zischend aus. Entweder ich
habe etwas falsch gemacht oder sie ist einfach alt und
feucht. Petrow zieht sie aus meinem Mund und legt sie
vorsichtig auf die Bank neben sich.

»Jetzt habe ich Bauchschmerzen«, sagt er. »Mein
Magen ist voll mit totem alten Hahn. Diese Suppe wird
mich umbringen.«

Ich pflücke ein großes Blatt der fetten Klette, die mit

ihren Wurzeln Petrows Haus auszuhebeln versucht, und wische den Teller damit sauber. Ich kann mich nicht erinnern, wann ich das letzte Mal geraucht habe.

Meine Sehkraft hat nachgelassen, aber ich höre immer noch ausgezeichnet. Was sicher auch daran liegt, dass es im Dorf wenig Lärm gibt. Das Surren des Stromaggregats drängt ebenso zuverlässig an meine Ohren wie das Summen der Hummeln und die Gesänge der Zikaden. Der Sommer ist selbst bei uns eine vergleichsweise laute Zeit. Im Winter ist es stiller als still. Wenn eine Schneedecke über allem liegt, sind sogar die Träume gedämpft, und nur die Dompfaffen springen durch das Gestrüpp und sorgen für Farbe in der weißen Landschaft.

Ich mache mir keine Gedanken darum, was passiert, wenn wir eines Tages keinen Strom mehr haben. Ich habe meine Gaspatronen, und in jedem Haus gibt es Kerzen und Streichhölzer. Wir werden geduldet, aber niemand von uns glaubt daran, dass die Regierung uns zu Hilfe kommt, wenn wir alle Ressourcen aufgebraucht haben. Deswegen denken wir unabhängig. Im Winter hat Petrow angefangen, einen Teil des Nachbarhauses zu verheizen. Holz ist genug da.

Der Biologe hat mir erzählt, dass bei uns nicht nur die Spinnen andere Netze weben, sondern auch die Zikaden andere Töne von sich geben. Das hätte ich ihm auch sagen können, denn wer Ohren hat, hört es selbst. Der Biologe weiß aber nicht, woran das liegt. Er hat mit seinen Geräten die Gesänge aufgenommen und ihnen mit Notizblock und Stoppuhr gelauscht. Mehrere Dutzend Zikaden hat er in einem durchsichtigen Kasten mit Löchern an seine Universität mitgenommen. Er hat versprochen, mir Bescheid zu sagen, wenn er etwas herausgefunden hat. Ich habe nie wieder von ihm gehört.

In Tschernowo ist man schwer erreichbar. Eigentlich gar nicht, insbesondere, wenn man nicht erreicht werden will. Wir haben unsere Postfächer in Malyschi. Wenn jemand hinfährt, bringt er einen Packen Post für andere mit. Oder auch nicht.

Ich bitte nie jemanden, mir etwas mitzubringen, weil ich immer Post in meinem Fach habe, und die wiegt schwer. Irina schickt mir Pakete. Alexej nicht. Ich weiß nicht, wem von ihnen ich dankbarer bin.

Wenn ich alle Pakete, die Irina mir aus Deutschland geschickt hat, aufeinanderstapeln würde, wäre der Turm mehrere Stockwerke hoch. Aber ich falte die gelben Pappkisten ordentlich zusammen und trage sie in den Schuppen. Alles, was Irina in die Pakete legt, scheint genau durchdacht. Räucherwürste und Konserven, Vitamintabletten und Aspirin, Streichhölzer, dicke Socken, Unterhosen, Handwaschmittel. Eine neue Brille, eine Sonnenbrille mit Dioptrien, Zahnbürsten, Stifte, Klebstoff. Ein Fieberthermometer, ein Gerät zum Blutdruckmessen (habe ich Marja gegeben) und Batterien in allen Größen. Ich habe eine Sammlung aus nagelneuen Scheren, Taschenmessern und kleinen Digitalweckern.

Ich freue mich über den deutschen Gelierzucker, den es bei uns nicht gibt, weil ich Marmelade jetzt nicht mehr stundenlang köcheln lassen muss. Auch über Backpulver und Gewürze mit lateinischen Buchstaben darauf, die Tütchen mit Bohnen- und Tomatensamen (ich ziehe allerdings lieber eigene). Die Großpackungen Pflaster und Mullbinden gebe ich immer weiter.

Ich habe Irina oft geschrieben, dass mir nichts fehlt. Fast nichts. Sie könne mir ja mal Blumensaat aus ihrer Gegend schicken, damit ich etwas Neues kennenlerne. Aber sie müsse mich von Deutschland aus nicht durchfüttern. Dann habe ich begriffen, dass sie diese Pakete dringender braucht als ich. Seitdem sage ich einfach nur Danke und äußere ab und zu Wünsche. Zum Beispiel nach Gummibärchen und einem neuen Sparschäler.

Worauf ich dagegen unruhig warte, sind die Briefe. Ein Brief ist immer ein Fest. Dann brauche ich auch keine neue Zeitung, aber ich kaufe trotzdem eine, wenn ich nach Malyschi fahre, um ein bisschen was von der Welt zu erfahren. Den neusten Brief lese ich jeden Abend vor dem Einschlafen, bis der nächste da ist.

Petrow behauptet, dass heutzutage kein Mensch mehr Briefe schreibe, sondern dass Nachrichten von Computer zu Computer und von Telefon zu Telefon verschickt würden. Und manche sogar von Computer zu Telefon. In Tschernowo gibt es keine Telefone, das heißt, es gibt schon die Geräte, aber keine funktionierende Leitung mehr. Einige haben kleine Handtelefone, die aber nur Empfang haben, wenn man näher an der Stadt ist. Petrow hat so eins, er hat es mir gezeigt. Darauf spielt er Stapelspiele wie ein kleines Kind.

Als er gerade neu im Dorf war, schleppte er sich durch die Straßen und hielt sein Telefon hoch. »Kein Empfang, kein Empfang«, jammerte er und schlug vor, dass wir Unterschriften für einen Funkmast sammeln sollten. Daraus wurde nichts.

Die Gavrilows sagten, wer telefonieren wolle, habe in Tschernowo nichts zu suchen. Marja meinte, dass von den Dingern Strahlung ausgehe. Der alte Sidorow, der mindestens hundert Jahre alt ist, weil er schon alt war, als ich noch jung war, der Sidorow sagte jedenfalls, sein Festnetztelefon funktioniere einwandfrei, und Petrow dürfe es gern nutzen, wie es unter Nachbarn üblich sei.

Er führte sein altes Telefon vor, es war ein Plastikgehäuse mit Hörer und Drehscheibe, das einmal orange gewesen sei muss. Es stand auf Sidorows Tisch zwischen riesigen gelben Zucchini, die er gerade geerntet hatte.

Petrow nahm den Hörer ab und hielt ihn sich ans Ohr. Dann reichte er ihn herum.

»Kaputt«, sagte Marja, gab den Hörer an mich weiter, und ich legte ihn auf.

»Die Leitung ist tot, Opa«, sagte Petrow. »Hier sind alle Leitungen tot, verstehst du. Alle.«

Sidorow beharrte darauf, dass er regelmäßig – nicht jede Woche, aber fast jede – mit seiner Freundin in der Stadt telefoniere.

»Natascha«, erläuterte Sidorow auf meinen skeptischen Blick hin und zeigte auf Marja. »Bisschen jünger als die.«

Später versuchte Petrow, mich davon zu überzeugen, dass der alte Sidorow nicht mehr ganz dicht sei. Aber ich zuckte nur mit den Schultern. Wenn hier einer nicht mit Steinen werfen sollte, dann Petrow.

Ich sitze auf der Bank vor meinem Haus, da schlurft Sidorow, auf einen Stock gestützt, vorbei. Er sieht auch nicht mehr so gut. Nach einigen Schritten dreht er sich um und wandert mühsam zurück. Er baut sich vor mir auf, alles an ihm zittert. Hätte er mehr Zähne, würden sie jetzt klappern.

Dann fragt er mich, warum ich ihn nicht hinein-bitte.

Also bitte ich ihn hinein. Meine Stube ist, bis auf die Spinnennetze, sauber und aufgeräumt, und Gäste dürfen jederzeit kommen. Ich bin vorbereitet. Mit Sidorow habe ich allerdings nicht gerechnet. Er lässt sich auf einem Stuhl nieder, platziert den Stock zwischen den Knien und die Hände auf der Tischplatte. Ich setze den Teekessel auf.

Er trägt eine alte graue Anzughose, die verschlissen, aber sauber ist. Seine Beine sind knochig und der Bart wirr und drahtig.

»Dunja«, sagt er. »Ich meine es ernst.«

»Was meinst du ernst?«, frage ich.

»Das sage ich dir gleich.«

Ich lasse ihm Zeit. Der Kessel pfeift, ich stecke ge-knickte Pfefferminzstängel in zwei Teegläser und über-gieße sie mit heißem Wasser. Mein Glas lasse ich ste-hen, damit es ein wenig abkühlt. Sidorow nippt sofort am Tee und verlangt nach Zucker.

Ich hole eine Schachtel aus dem Schrank. Sie ist alt

und der Würfelzucker krümelig. Ich nehme keinen, weil purer Zucker unruhig und gierig macht.

Sidorow wirft zwei Würfel in sein Glas und rührt um. Die Stängel der Minze kommen ihm dabei in die Quere.

»Ich werde dir was sagen«, warnt er mich.

»Ich bin ganz Ohr.«

»Du bist eine Frau.«

»Stimmt.«

»Und ich ein Mann.«

»Wenn du es sagst.«

»Lass uns heiraten, Dunja.«

Ich verschlucke mich an dem Minztee und huste, dass mir die Tränen in die Augen schießen. Sidorow beobachtet meinen Hustenkrampf wohlwollend. Als ich das Taschentuch raushole, um mein Gesicht abzutrocknen, scheint er es auf meine Rührung zurückzuführen.

Er räuspert sich. »Jetzt denk bloß nichts Falsches. Ich mag dich.«

»Ich mag dich auch«, antworte ich automatisch. »Aber …«

»Dann ist es also beschlossen«, sagt er, steht auf und will das Haus verlassen.

Ich bin kurz sprachlos. Dann besinne ich mich und hole ihn an der Tür ein. »Wo willst du so schnell hin?«

»Meine Sachen holen.«

»Ich hab doch gar nicht Ja gesagt.«

Er dreht sich zu mir um und guckt mich an, die Augen verwaschen blau wie der Sommerhimmel über dem Dorf. »Was hast du dann gesagt?«

Ich führe ihn lachend zum Stuhl zurück und drücke ihm das Teeglas in die Hand.

»Ich will nicht heiraten, Sidorow. Niemanden. Nie mehr.« Auf meinem Handrücken, dort, wo der Daumen in die Hand übergeht, ist eine kleine verblasste Tätowierung, die ich mir mit fünfzehn Jahren gestochen habe, mit Nadel und Tinte. Ausgerechnet jetzt beginnt sie zu jucken. Sie sieht inzwischen eher nach einem Fliegenschiss als nach einem Buchstaben aus.

»Warum nicht?« In seinen alten Augen steht kindliches Staunen.

»Ich bin nicht hierhergekommen, um zu heiraten.«

Er schnauft beleidigt. Dann richtet er sich erneut mühsam auf. »Überleg's dir gut. Ich könnte deinen Zaun reparieren.«

»Warum ausgerechnet jetzt?«

»Weil wir nicht jünger werden.«

»Ich dachte, du hast eine Freundin in der Stadt?«

Er schnauft noch einmal und winkt ab. Sein Rückzug ist unaufhaltsam. Ich bringe ihn zur Tür und schaue ihm nach, wie er die Straße hinunterläuft, mit dem Stock weiße Staubwölkchen aufwirbelnd. Ein Windzug kommt auf und bläht Sidorows Hemd am Rücken.

Ich kenne ihn mein ganzes Leben lang. Sidorow ist der Einzige außer mir, der schon vor dem Reaktor in Tschernowo gelebt hat. Als ich ein junges Mädchen war, war er bereits ein erwachsener Mann mit Familie, damals noch einen Kopf größer als ich. Nach dem Reaktor habe ich ihn aus den Augen verloren. Als ich nach Tschernowo zurückkehrte, hat er wohl in der Zeitung über mich gelesen. Jedenfalls kam er als Zweiter, und ich fragte ihn nie, was aus seiner lärmenden Frau und den beiden Söhnen geworden ist.

Ich kann mir genau vorstellen, was ihn auf Hochzeitsgedanken bringt. Er ist ein Mann und wäscht seine Sachen, wenn sie vor Schmutz steif sind, in einer Schüssel mit Haushaltsseife, um sie dann unausgespült im Garten zum Trocknen aufzuhängen. Zum Essen weicht er sich zwei Mal am Tag Haferflocken ein, mit verdünnter H-Milch, wenn er welche hat, und mit Brunnenwasser, wenn die Milch alle ist. An Feiertagen schüttet er gezuckerte Maisflocken oder bunte Kringel mit Fruchtaroma aus großen Packungen mit ausländischem Aufdruck dazu. Sein Gemüse verfault, weil er zwar einen grünen Daumen hat, aber nicht kochen kann.

Ich dagegen koche immer frisch, und mein Garten gedeiht.

Ich war seit einem Monat nicht mehr in Malyschi. Wenn es nach mir ginge, müsste ich auch so schnell nicht wieder hin. Aber meine Vorräte sind aufgebraucht, die Butter und das Öl, der Grieß und die Buchstabennudeln. Am Vorabend hole ich meine Rolltasche aus dem Schuppen und befreie sie von Spinnennetzen. Die Spinnen arbeiten schnell, wir sollten uns ein Beispiel an ihnen nehmen. Dabei muss ich an den Biologen denken und daran, dass er die Spinnennetze vorsichtig mit einer Pinzette gesammelt und in Behälter getan hat.

Ich kann in den Netzen nichts Besonderes erkennen. Sie sind silbrig und klebrig.

Ich frage Marja, ob sie etwas aus der Stadt braucht, ich frage Petrow und überlege kurz, auch Sidorow zu fragen, lasse es aber sein. Die Gavrilows frage ich nicht. Lenotschka antwortet nicht auf mein Klopfen. Marja wünscht sich neue Zeitschriften, Strickwolle und jede Menge Tabletten, auch gegen Verstopfung. Strickwolle werde ich nicht mitbringen. In ihrem Schrank gibt es haufenweise löchrige Wollpullover, die sie wieder auftrennen kann. Meine Tasche wird auch so voll genug sein.

Petrow wünscht sich von mir eine gute Nachricht.

»Mach keine Witze«, sage ich. »Ich kann dir Honig mitbringen.«

»Ich will keinen Honig«, sagt er. »Ich esse keinen Honig, weil er aus Bienenkotze ist. Bring mir eine gute Nachricht.«

So ist er immer.

Am Morgen stehe ich vor fünf Uhr auf. Der Geist von Marjas Hahn sitzt auf dem Zaun und guckt mich vorwurfsvoll an, aber wenigstens ist er still. Ich winke ihm zu und treffe Vorbereitungen für die Stadtfahrt. Seit ich die Trekkingsandalen habe, muss ich meine Füße für längere Märsche nicht mehr eincremen, so bequem sind die Schuhe. Ich ziehe mir eine frische Bluse an und einen alten Rock, der etwas locker sitzt, offenbar habe ich abgenommen. Ich hole das Geld unter dem Wäschestapel im Schrank hervor und lege es in die Geldbörse, die Geldbörse stecke ich in meinen Büstenhalter.

Ich muss mir keinen Einkaufszettel machen, ich habe

alles im Kopf. Ich schneide eine frische Gartengurke in Stücke und lege sie in die Plastikdose, in der mir Irina vor einem Jahr Büroklammern geschickt hat. Ich weiß nicht, was ich mit Büroklammern soll, aber die Dose ist praktisch. Ich salze die Gurke nicht, damit sie unterwegs keine Flüssigkeit lässt. Von meinem selbst gebackenen Brot sind ein paar Scheiben übrig, die ich in der Sonne zu Zwieback getrocknet habe, die nehme ich auch mit. Das Essen, das man in der Stadt kaufen kann, bekommt mir nicht.

Der Weg ist weit, und ich weiß, dass am Abend meine frischen Socken in den Trekkingsandalen staubig sein werden. Vor einem Jahr noch habe ich bis zur Haltestelle eineinhalb Stunden gebraucht, jetzt sind es über zwei. Vor zwei Jahren bin ich mit dem Fahrrad gefahren, aber jetzt ist mir das zu wacklig. Die Gavrilows fahren immer mit dem Fahrrad, fragen aber nie, ob sie etwas mitbringen sollen. Das liegt wahrscheinlich daran, dass sie als Einzige zu zweit sind und sich nicht vorstellen können, wie es allein wäre.

Ich muss an Jegor denken und daran, wie wir damals geheiratet haben. Es war eine große Hochzeit, das ganze Dorf hat gefeiert. Ich hatte einen schmalen Ehering und er gar keinen, weil wir für das Kind sparen wollten, das in meinem Bauch wuchs. Ich war mit meinen einunddreißig Jahren eine alte Braut. Ursprünglich hatte ich nicht vorgehabt, Jegor das Jawort zu geben. Drei Jahre hatte ich mich mit ihm getroffen, bevor sich das Kind einnistete und uns beide überraschte. Ich hatte mich bereits für unfruchtbar gehalten. Und auch wenn ich wusste, dass alte Erstgebärende häufiger Probleme hatten und kranke Kinder bekamen, war diese Schwangerschaft für mich wie ein Wunder.

Nach dem Standesamt, als alle schon gegessen und getrunken hatten, habe ich bei uns im Hof die Schuhe ausgezogen und getanzt. Alle Männer haben gesungen, gepfiffen und durcheinandergeschrien. Jegor hat mich aus der Mitte gezogen, in eine Ecke gedrängt und gesagt, dass ich ab jetzt schön die Schuhe anbehalte. Er tat so, als wollte er mit seinem schweren Stiefel auf meine nackten Zehen treten. Da wusste ich, dass ich einen Fehler gemacht hatte.

Ich bin Jegor nicht böse; die meisten Männer waren damals so. Der Fehler war nicht, sich den Falschen auszusuchen. Der Fehler war, überhaupt zu heiraten. Ich hätte Irina und Alexej auch allein durchgebracht, und niemand hätte mir jemals vorschreiben dürfen, was ich mit meinen Füßen mache.

Die Bushaltestelle heißt »Ehemalige Fabrik Goldener Hase« und ist die Endhaltestelle der Linie 147, die nach Malyschi fährt. Die Fabrik ist einige Hundert Meter von dem Haltestellenhäuschen entfernt. Es ist ein verlassenes Backsteingebäude mit aufragenden Türmen. Die Fensterscheiben sind eingeschlagen. Wenn man reinschaut, sieht man rostige Maschinen im ewigen Schlaf.

Ich kann mich noch erinnern, wie viele Menschen früher aus Tschernowo und den Nachbardörfern mit Bus und Fahrrad zu dieser Fabrik fuhren, um sich ans Fließband zu stellen. Die Pralinen waren sehr gut:

dunkle, schmelzende Schokoladenhülle, Füllung mit kleinen Nussstückchen, eingepackt in hauchdünnes Papier, darüber Stanniol und drum herum noch ein Papier, auf dem eine Häsin mit ihren Hasenkindern abgebildet war. Leitende Arbeiter bekamen zum Neujahrsfest eine besondere Kollektion in einer riesigen Pralinenschachtel geschenkt. Schon beim Gedanken an die Füllung lief mir damals das Wasser im Munde zusammen: Gelee, Cognac, Sahnetrüffel.

Zu großen Feiertagen kaufte ich für Irina und Alexej eine Handvoll Pralinen, und einmal schenkte mir ein Patient, der die Nachtschichten in der Fabrik leitete, eine dieser Silvesterschachteln. Wahrscheinlich hatte er zwei bekommen. Das war ein großes Glück.

Wir öffneten sie, wie es sich gehörte, nachdem die Uhr zwölf geschlagen hatte. Wir teilten alle Pralinen in drei Teile – Jegor aß keine. Die Schachtel reichte ein Dreivierteljahr. Die Verpackungen sammelten wir auch: Aus Stanniolpapier falteten wir Schmuck für die Neujahrstanne des nächsten Jahres, und das Häschenpapier wurde zwischen Buchdeckeln geplättet und wie ein Schatz gehütet. Die Kinder tauschten es gegen andere Bonbonpapiere mit Bären und Füchsen und rotwangigen, bezopften Mädchen.

Als meine Kinder klein waren, gab es noch keine meterweit duftenden Aufkleber aus türkischen Kaugummis, die ich in den Neunzigern zum ersten Mal roch, bevor ich nach Tschernowo zurückkehrte. In Tschernowo gab es keine türkischen Kaugummis, kein nachgemachtes Chanel-Parfum und keinen falschen Cognac, keine grell geschminkten Gesichter junger Mädchen, keine verwaschenen Jeans und keine schrille Musik. In Tschernowo gab es nur die Stille und mich. Einige Monate später kam Sidorow dazu, und ein Haus nach dem anderen leuchtete wieder auf.

Die Erinnerung sorgt dafür, dass mein Mund sich mit klebrigem Speichel füllt. Ich war einst ein Süßmaul, aber inzwischen verursacht mir der Gedanke an Schokolade Übelkeit. Ich esse lieber Johannisbeeren aus meinem Garten als Pralinen mit Sahnefüllung. Das sind das Alter und die Bauchspeicheldrüse. Ich hole eine kleine Flasche mit Schraubverschluss aus meiner Tasche und trinke einen Schluck Brunnenwasser.

Ich sitze auf der Bank, die Fabrik im Rücken, und schaue auf die trockene, sommerlich gelbe Landschaft. Die Felder werden seit Jahrzehnten nicht mehr bestellt, aber ihre Struktur hat sich erhalten. Hier und da wachsen vereinzelte Ähren in den Himmel, die sich Jahr für Jahr selbst aussäen. Würde man weiterlaufen, könnte man auch Mais, Zuckerrüben und Kartoffeln entdecken. Sie werden überwuchert von grünem fettem Unkraut, von großblättrigen Pflanzen mit leicht violettem Stich, deren Namen ich nicht kenne, weil es sie in meiner Jugend nicht gab.

Das Haltestellenhäuschen ist grün gestrichen und sauber. Niemand fährt so weit, um es vollzuschmieren. Die Gegend gilt als unheimlich. Die Fabrik steht in dem, was viele als Todeszone bezeichnen. Tschernowo ist noch tiefer drin. Die Endhaltestelle markiert die Grenze. Früher stand hier ein Soldat mit einem Maschinengewehr und langweilte sich zu Tode. Inzwischen wird die Grenze nicht mehr bewacht. In der Ukraine machen sie dagegen ein richtiges Drama aus ihrer Zone, mit Stacheldraht und Wachhäuschen. Das hat mir Petrow erzählt. Überhaupt verstehe ich immer weniger, was da hinter der Grenze passiert.

Wir in Tschernowo wissen alle, dass der Bus nicht mehr lange fahren wird. Was wir dann tun, wissen wir nicht. Vielleicht hat sich bis dahin jemand gefunden, der uns aus Malyschi Dinge bringt, die wir nicht selbst anbauen können. Petrow hat schon versucht, jemanden aufzutreiben, aber niemand war bereit. Wir sind den Menschen unheimlich. Sie scheinen zu glauben, dass die Todeszone sich an die Grenzen hält, die Menschen auf Landkarten einzeichnen.

Es ist jedes Mal eine Freude, wenn der Bus auftaucht.

Ich musste weniger als eine Stunde warten, konnte in Ruhe an der frischen Luft verschnaufen und meinen Gedanken nachhängen. Die wenigen Kilometer vom Dorf bis zur Haltestelle sind in meinem Alter kein Spaziergang mehr. Wenn ich zurückkehre, wird meine Tasche voll sein und der Weg noch länger.

Der Busfahrer fährt diese Strecke seit fünf Jahren. Er heißt Boris, und vor einem halben Jahr wurde ihm ein Enkelsohn geboren. Ich frage vorsichtig, wie es dem Baby geht. Es sind heikle Fragen, und ich möchte niemandem wehtun. Boris antwortet heiser, dass der Junge einen guten Appetit habe und ordentlich wachse.

Ich atme aus.

Er nimmt die abgezählten Münzen aus meiner Hand. Die Verkehrsbetriebe haben den Fahrpreis seit dreißig Jahren nicht erhöht. Dafür kann man in Malyschi inzwischen nicht einmal mehr ein Glas Wasser kaufen. Mir soll es recht sein, meine Rente ist auch nicht mehr geworden.

Ich setze mich nach vorn, damit ich mich mit Boris unterhalten kann. Er hat einen dicken Bauch und eingesunkene Schultern, und irgendwas in seinem Gesicht gefällt mir nicht mehr so gut. Als ich noch medizinische Hilfsschwester war, wurde ich oft zu Männern wie ihm gerufen, die mit Herzinfarkt neben dem Fließband oder in der Garage lagen.

Wir haben über eine Stunde Fahrt zusammen. Die Straße ist holprig, der Kies fliegt unter den Rädern weg, die sich mühsam auf dem unasphaltierten Weg drehen. Der kleine Bus rattert, und der Fußballwimpel an Boris' Spiegel schaukelt hin und her.

Ich schaue aus dem Fenster, über den Feldern kreisen Falken, zwischen den Bäumen sehe ich ein Reh und einen Hasen. Mir scheint, als hätten die Tiere die Gegend für sich entdeckt. Zwei verlassene Dörfer passieren wir auf dem Weg zur Stadt, an der Hauptstraße sitzt eine Katze und leckt sich die Pfote.

Boris erzählt, was er im Fernsehen gesehen hat. Viel Politik, in der Ukraine, in Russland und in Amerika. Ich höre nicht sehr aufmerksam zu. Politik ist natürlich wichtig, aber es bleibt trotzdem immer an einem selbst hängen, die Kartoffeln zu düngen, wenn man irgendwann Püree essen will.

Hauptsache, es gibt keinen Krieg. Aber dafür wird unser Präsident schon sorgen. Manchmal fühle ich mich dennoch unwohl bei dem Gedanken, dass Irina inzwischen einen deutschen Pass hat.

Das Geruckel im Bus bringt meine alten Knochen zum Vibrieren, ich habe das Gefühl, dass man auch sie scheppern hört. Zwischendurch döse ich kurz ein. Als ich die Augen aufschlage, sind wir mitten in der Stadt. Boris drängt sich zwischen den verdreckten Blechkisten am Busbahnhof auf einen hinteren Stellplatz.

Der Lärm in Malyschi kommt mir von Mal zu Mal ohrenbetäubender vor. Dabei sind immer weniger Menschen auf den Straßen, auch hier am Busbahnhof sind es höchstens ein halbes Dutzend Busfahrer und zwanzig Passagiere in Warteschlangen. Doch alle machen Krach. Ich bin es nicht mehr gewohnt.

Meine Ziele stehen fest. Erst gehe ich zur Sparkasse, wo Irina mir ein Konto eingerichtet hat, auf das meine Rente eingezahlt wird. Obwohl ich zu Hause nichts kaufen kann, hebe ich alles ab, weil das Leben uns gelehrt hat, den Banken nicht zu trauen.

Im Sparkassenvorraum stehen Automaten. Ein Mädchen mit Halstuch fragt mich, ob ich Hilfe brauche. Ich brauche keine Hilfe, sondern nur mein Geld, und das nicht von einer Maschine, sondern von einem Menschen am Schalter. Also gehe ich in den Geschäftsraum. Während ich warte, bläst mir ein eisiger Wind um die Waden, und ich bin froh über meine Wollstrümpfe. Als ich endlich dran bin, erwähne ich die Kälte. Das Mädchen am Schalter, das nach Parfum und Kaugummi riecht, sagt stolz, sie hätten jetzt eine Klimaanlage. Sie sieht aus, als hätte sie noch nie im Leben einen Kartoffelkäfer auf der Hand gehabt. Ich sehe die Gänsehaut in ihrem Dekolleté und warne sie, dass sie sich erkälten wird. Sie sagt, sie sei längst erkältet, und schiebt mir meine Rente zu, die ich durchzähle, in zwei Hälften trenne und auf die BH-Körbchen verteile.

Immer, wenn ich meine Rente abhole, habe ich große Lust, Irina, Alexej und Laura etwas zu kaufen. Als Laura gerade geboren war, habe ich ihr Sachen geschickt, Beißringe, Rasseln und Strampelhosen, bis mir klar wurde, dass kein Mensch das Zeug braucht. In Deutschland gibt es sowieso schönere Dinge. Bei uns sind vielleicht die Tomaten größer, aber die besseren Strampler gibt es dort.

Deswegen habe ich aufgehört, unnütze Sachen zu kaufen, und lege alles Geld in meine alte Teedose. Wenn Laura achtzehn Jahre alt wird, und das ist sehr bald, werde ich Irina alles geben, bis auf einen eisernen Vorrat für meine Beerdigung. Ich werde Irina bitten, das Geld in Deutschmark oder Dollar umzutauschen und in Lauras Sparschwein zu stecken. Laura ist der jüngste Mensch unserer Familie, und junge Menschen brauchen Geld.

Irina verbessert mich immer, dass es die Deutschmark nicht mehr gebe, aber ich kann mir nicht merken, was sie stattdessen haben.

Als Nächstes gehe ich zur Post, auf dem Weg dahin muss ich am Markt vorbei. Ich gönne mir die Pause, betrete die Halle, die nach Fisch und faulem Gemüse riecht, und lehne mich gegen einen Stand, an dem Schmalzgebäck verkauft wird. Aber die Duftwolken belästigen meine Nase. Ich esse ein Stück Gurke aus meinem Garten.

Der Verkäufer schaut auf mich herunter, und ich begreife, dass es ihn stört, wenn ich an seinem Stand etwas Mitgebrachtes esse. Es ist unhöflich von mir. Ich greife nach meiner Tasche und entschuldige mich bei ihm. Aber er winkt ab und starrt mich weiter an. Dann fragt er mich, ob ich Baba Dunja aus der Todeszone sei.

Ich könnte ihn fragen, was er denn glaubt, wo er sich selbst gerade befindet. Aber das tue ich nicht. Wenn er sich hier hinter seinen Schmalzkringeln in Sicherheit fühlt, dann sei ihm das gegönnt. Außerdem bin ich verblüfft, dass er mich kennt. Ich kann mich daran nicht gewöhnen.

Er reicht mir ein Gebäckstück in fettigem Papier. »Aufs Haus«, sagt er. Ich will ihn nicht kränken und nehme es entgegen, obwohl ich weiß, dass mir nur ein Bissen die Bauchspeicheldrüse ruinieren würde.

»Kennen wir uns?«, frage ich und tue so, als würde ich abbeißen. Als ich noch medizinische Hilfsschwester war, kannten mich viele Leute, auch in den Nachbardörfern. Kamen ja immer zu mir, wenn etwas war. Aber in Malyschi hatten sie auch damals schon eigene Ärzte und Schwestern. Vielleicht ist er aus einem der Dörfer. Ich habe zwar ein gutes Gedächtnis, aber es hat nur die Gesichter der Kinder abgespeichert.

Ich frage ihn, wer er ist.

Er sagt, ich würde ihn nicht kennen, aber hier kennen mich alle, weil alle über mich reden. Und über die anderen Rückkehrer.

Er dreht sich um und wühlt in einer Kiste nach Zeitungen, um mir irgendwas zu zeigen, aber ich sage ihm, nicht nötig. Ich muss nicht wissen, was irgendjemand über mich gesagt hat, oder, noch schlimmer, geschrieben. In den letzten Jahren waren immer wieder Reporter da, die Fotos von unseren Gärten gemacht und uns Fragen gestellt haben.

»Ich muss weiter«, sage ich und verlasse die Halle. Das Schmalzgebäck wickele ich fester ins Papier und zusätzlich in eine Serviette aus meiner Tasche. Dann stecke ich es ein. Marja wird sich freuen.

An der Post hängt ein großes Schild, dass gerade Mittagspause sei. Ich schaue auf die Uhr. Es ist ein schlechtes Zeichen, wenn schon um kurz vor elf Mittagspause ist, dann wird sie umso länger dauern. Ich gehe in den Park, setze mich auf eine Bank und verschnaufe. Auf dem Asphalt zu laufen, ist Gift für die Gelenke, und die Luft ist auch verschmutzt.

Der Park ist wie ausgestorben, nur auf der Wiese herzt sich ein junges Paar. Ich setze mich um, damit ich sie nicht in Verlegenheit bringe, und fächele mir Luft mit einer Zeitschrift zu, die ich für Marja eben an einem Kiosk gekauft habe. Es ist eine von diesen ausländischen Zeitschriften, die nun auch auf Russisch erscheinen. Die Seiten glänzen, es gibt viele Bilder von dünnen Frauen in prächtigen Kleidern. Ganz hinten sind Rezepte, aber die sind mir zu wundersam. Ich weiß nicht, was Tahin ist, und ich habe noch nie etwas von Risotto gehört. Ich kenne nur Reisbrei mit Äpfeln, vielleicht ist es ein ausländisches Wort dafür.

Als ich mich genug ausgeruht habe, mache ich mich wieder auf den Weg. Die restliche Wartezeit überbrücke ich mit einem Einkauf. Ich kaufe Sahne, die auch in der Hitze nicht schlecht wird, Käse, einen Kugelschreiber und Briefpapier mit Rosen. Ich will an Laura schreiben. Ich kaufe Salz und fünf Zitronen. Ich sehe Plastikbehälter mit farblosen Pilzen, auf denen »importierte Zuchtchampignons« steht, das Wort »importiert« ist in Blockbuchstaben gedruckt und unterstrichen.

Ich kaufe drei Bananen, eine esse ich gleich. Bananen sind Spielerei für die Sinne, sie sind eigentlich zu süß, lassen sich aber gut kauen. Die Schale packe ich ein bis zum nächsten Mülleimer.

In der Apotheke gucke ich auf die Liste mit Medikamenten, die Marja mir mitgegeben hat, und lasse mir das eine oder andere aus dem Regal holen. Was ich für Unsinn halte, das kaufe ich nicht. Dann fällt mein Blick auf eine Palette Schmerzmittel, ich kaufe eine große Packung, nur zur Sicherheit.

Meine Tasche füllt sich. Für mich habe ich wenig besorgt. Das ist gut, weil dann mehr Geld für Laura übrig bleibt. Ich gehe zurück zur Post, und siehe da, das Schild ist weg.

Marjas Postfach ist leer. Ich werde es ihr nicht sagen, sondern behaupten, dass sie heute mal wieder streng waren und mir ihre Post nicht geben wollten, weil ich nicht befugt bin. In meinem Postfach liegen drei Päckchen und fünf Briefe. Ich verstaue alles ordentlich, damit nichts geknickt wird. Es ist spät, die Luft riecht geräuchert, und ich muss zurück zum Busbahnhof.

Als ich im Dorf ankomme, ist es noch hell. Die Sommernächte sind lang und gnadenlos, schwirrende Unruhe liegt, selbst bei uns, in der Luft. Auf der Hauptstraße ist niemand zu sehen. Bei Sidorow steht die Haustür offen. Hinter Marjas Fenster bewegt sich etwas. In der letzten Zeit schläft sie schlecht. Deswegen schluckt sie bunte Pillen, die sie am Morgen nur spät aufwachen und dann mit glasigen Augen in die Gegend starren lassen.

Petrow liegt mit einem Buch in seiner Hängematte, und die Gavrilows sitzen vor ihrem Haus und spielen Schach.

Ich muss mich auch setzen. Die Stadt saugt alle Kraft aus einem heraus. Nachdem ich meine Einkäufe ins Haus gebracht habe, setze ich mich draußen auf die Bank.

Ich ziehe mir die Trekkingsandalen aus, die auf einmal zu klein geworden sind, und kann das Stöhnen kaum unterdrücken.

Ich streife die Wollstrümpfe ab, meine Füße kommen zum Vorschein. Würde man die ganze Zeit zusammenzählen, die diese Füße getanzt haben, käme man bestimmt auf ein Jahr. Würde ich die Tanzschritte zählen, wären es viele Kilometer. Jetzt habe ich Schwielen und Hühneraugen, und die Nägel sind gelb und krumm.

Ich halte die Füße in einen Eimer mit eiskaltem Brunnenwasser. Unter der Wasseroberfläche sehen sie verschwommen aus. Die Kälte kriecht von unten meine Beine hoch, belebt die alten Venen und das schrumpfende Muskelfleisch.

Ich ziehe die Füße heraus und trete sie auf einem Frotteetuch ab. Gern würde ich mir die Zehen einzeln abtrocknen, aber ich komme nicht an sie dran.

Ich gehe barfuß ins Haus, die Holzdielen sind warm und sauber gefegt. Ich mache das Licht in der Küche an und setze Tee auf. Ich esse das kleine Stück Käse, das ich in Malyschi gekauft habe, mit einem Cracker und einer Rispe roter Johannisbeeren. Ich kann mir nicht erklären, wie ich die Jahre, die ich nach dem Reaktor in der Stadt gewohnt habe, überleben konnte, ohne erschöpft zusammenzubrechen. Vielleicht war es die Arbeit, die mir Kraft gab. Ich wusste, dass im städtischen Krankenhaus jedes Paar Hände gebraucht wurde, und ließ mich nicht in Rente schicken. Ich ging schon auf die siebzig zu, als ich nicht nur dem Krankenhaus, sondern auch der Stadt den Rücken kehrte, für immer.

Bevor ich mich schlafen lege, mache ich einen der Briefe auf. Irinas Post zu öffnen ist nichts, was ich schnell und nebenbei erledigen könnte. Ich muss mich setzen, ich muss Zeit haben, der Kopf muss frei sein. Ich möchte nicht durch Klopfen an der Tür gestört werden. Eigentlich ist jetzt ein idealer Moment, und ich nehme den Brief in die Hand, der zuletzt abgeschickt wurde. Doch irgendwas ist anders als sonst. Der Umschlag ist weiß, unter dem ausländischen Poststempel stehen mein Name und die Anschrift des Postfachs, aber nicht von Irinas Chirurgenhand geschrieben, die schnörkellos und genau ist wie eine Männerschrift. Diese Buchstaben sind rund und süß.

Ich schneide den Umschlag mit einem Messer auf. Ich habe schon gewusst, dass hier drin keine Fotos von Laura sind, denn der Umschlag ist dünn und fühlt sich weich an. Ein Blatt Papier fällt heraus.

Ich rücke näher an die Lampe, schiebe mir die Brille auf die Stirn. Mein Herz klopft. Eigentlich habe ich ein ruhiges, besonnenes Herz. Aber wenn ich beginne, die Briefe aus Deutschland zu lesen, rast es genau bis zu der Stelle, ab der klar ist, dass alle leben und gesund sind und dass, zumindest in diesem Brief, keine bösen Nachrichten kommen werden.

Diesmal muss ich mehrere Anläufe nehmen, doch ich verstehe nichts, und am Ende klopft mein Herz immer noch stark. Der Brief ist unterschrieben mit Laura. Aber er ist nicht auf Russisch. Ohne meine frühere Arbeit würde ich nicht einmal diese Schriftart entziffern können. Manche Ärzte schrieben die Diagnosen mit lateinischen Buchstaben und nicht mit kyrillischen.

Ich liege bis zum Morgengrauen wach und rede meinem Herzen gut zu. Die Unruhe lässt nicht nach. Ich höre meinen eigenen Atem, er kommt schwerfällig und pfeifend.

Ich habe keine Angst vor dem Tod. Aber in solchen Momenten, wenn mich die Ruhe verlässt, erinnere ich mich wieder daran, wie es ist, Angst zu haben. Nicht um die Kinder, sondern um mich selbst. Es ist dumm, sich an einen Körper zu klammern, der schon alles hinter sich hat. Aber diese Sekunden zeigen mir, dass ich noch nicht so bereit bin, wie ich gedacht habe. Es gibt immer noch Dinge, die geregelt werden wollen. Worte, die aufgeschrieben werden müssen. Wenn ich nicht mehr da bin, soll es für Irina und Alexej nicht lästiger werden als nötig.

Ich sortiere im Kopf, was ich unbedingt erledigen

muss, damit ich mich besser vorbereitet fühle. Das beruhigt mich ein wenig. Ich gebe sogar den Plan auf, zu Marja zu gehen und sie um Baldrian zu bitten. Wäre Konstantin noch da, würde er jetzt krähen. Aber es sitzt nur noch sein Geist auf dem Zaun und blinzelt vorwurfsvoll in meine Richtung.

Ich ziehe mir eine Strickjacke an, schiebe Lauras Brief in den Ärmel und nehme ein Päckchen Kaffee aus Irinas Paket und die Tüte mit den Medikamenten für Marja aus der Einkaufstasche. Irinas Briefe, die ich am Vortag geholt habe, liegen geöffnet auf dem Tisch. Ich habe sie, entgegen meiner Gewohnheit, im Morgengrauen alle rasch hintereinander gelesen. Das Übliche – Wetter, Arbeit, Europäische Union. Keine Erklärung, keine Andeutung, was Laura mir geschrieben haben könnte.

Ich gehe mit den ganzen Sachen an Konstantin vorbei. Es ist inzwischen acht Uhr morgens. Marja sitzt wach, aber missgelaunt in ihrem Bett, im Rücken ein Berg Kissen, auf den Knien die Daunendecke. Ich schaue mich nach der Ziege um. Vielleicht grast sie hinterm Haus.

»Bist du krank?« Ich packe die Mitbringsel aus.

»Bist du etwa gesund?« Aber Marja kann das Nörgeln nicht lange durchhalten, als sie die neuen Päckchen mit ausländischen Wörtern drauf sieht. Ich bin nur froh, dass wir hier so schlechten Empfang haben. Wenn sie auch noch richtig Fernsehen gucken könnte, bräuchte sie bestimmt dringend alles, was die Apothekenwerbung anpreist.

Ich reibe die bronzene Kaffeekanne ab, die ich unter Marjas Töpfen entdeckt habe. Dann zähle ich die Löffel mit Kaffee ab, gieße Brunnenwasser aus dem Kanister dazu und verrühre gründlich. Ich mache Feuer und lasse den Inhalt am langen Henkel langsam warm werden. Schaum steigt auf, ich schöpfe ihn ab und verteile ihn auf zwei kleine Tassen. Erst kommt der Schaum, dann der starke schwarze Kaffee. Meine Hand zittert etwas, als ich ausschenke. Er sieht schön aus in der Tasse, die Oberfläche ist wie mit Spitze geschmückt.

Marja nippt an ihrem Kaffee und verbrennt sich den Mund. Sie schimpft, das Zeug sei so bitter, dass davon Tote auferstehen könnten. Mir würde es schon reichen, wenn sie endlich das Bett verließe. Ihr blondes Haar hat sie am Vorabend zu zwei Zöpfen geflochten. Nach den Nachtstunden zerfallen sie in einzelne helle Strähnen. Mir fällt auf, dass Marja kaum graue Haare hat.

»Wie war es in der Stadt?«, fragt sie.

»Wie immer«, sage ich. Obwohl es nicht wahr ist. Bei uns ist die Zeit stehen geblieben, aber die Stadt verändert sich ständig. Malyschi stirbt. Andere Städte wandeln sich, um zu überleben, aber Malyschi packt es nicht.

Lauras Brief knistert in meinem Ärmel. Eigentlich wollte ich Marja davon erzählen, aber ich bringe es nicht übers Herz. Laura ist so tief in mir drin, dass es mir nicht gelingt, über sie zu reden. Es fühlt sich an, als müsste ich meine Eingeweide nach außen stülpen.

»Du bist so komisch heute.« Marja wirft mehrere Zuckerwürfel in ihren Kaffee.

Ich stehe vom Stuhl auf, es wird Zeit für mich.

»He, he«, sagt sie und packt mich mit ihrer weißen weichen Hand am Rock. »Bleib noch ein bisschen.«

»Kannst du eigentlich Deutsch, Marja?«

»Wie kommst du darauf?«

Sie kann es natürlich nicht. Sie würde es wahrscheinlich nicht einmal erkennen, wenn sie es vor sich hätte.

»Könntest du Deutsch von Englisch unterscheiden, Marja?«

»Was redest du da die ganze Zeit?«

Ich setze mich wieder hin. Das Gefühl, das junge Mädchen von Marjas Foto vor mir zu haben, ist so stark, dass ich mir die Augen mit einem Taschentuch abtrockne, um sie besser sehen zu können.

»Gut. Ein bisschen bleibe ich noch.«

Marja kippt ihren gesüßten Kaffee hinunter und lässt die Füße auf den Boden. Sie sind nackt, die Fußnägel rosarot lackiert. Sie glänzen wie Himbeerbonbons.

»Weißt du«, sagt sie. »Ich bin so froh, dass du wieder da bist. Jedes Mal, wenn du nach Malyschi gehst, hab ich solche Angst, dass du nie mehr zurückkommst.«

Es gibt Tage, da treten sich auf unserer Hauptstraße die Toten auf die Füße. Sie reden durcheinander und merken nicht, welchen Unsinn sie erzählen. Das Stimmengewirr hängt über ihren Köpfen. Dann wiederum gibt es Tage, da sind sie alle weg. Wohin es sie dann verschlägt, weiß ich nicht. Vielleicht erfahre ich es, wenn ich eine von ihnen bin.

Ich sehe Marina und Anja und Sergej und Wladi und Olya. Den alten Liquidator im gestreiften Hemd, die Ärmel hochgekrempelt, mit muskulösen Unterarmen und polierten Schuhen. Er war ein Dandy, zu Beginn. Er starb schnell.

Das Baby, das sieben Monate nach dem Reaktor in meine Hände totgeboren wurde. Ich wickelte es ungewaschen in ein Handtuch und gab es der Mutter. Sie hatte es in ihrem alten Bauernhaus geboren und nicht in einer Gebäranstalt. Deswegen hatten wir Zeit, und keiner störte. Der Vater wandte sich ab und verließ den Raum, die Mutter schlug den Zipfel des Handtuchs zurück und lächelte. Ich wusste, was dieses Lächeln bedeutete. Sie würde bald nachkommen und spürte keinen Trennungsschmerz.

Das kleine Mädchen mit den roten Zöpfen, das nicht so schön starb, ich hätte ihr gern etwas gegeben, aber ich durfte nicht. Die ganze Familie rüttelte an mir und dem Arzt, verlangte Dinge, die nicht in unserer Hand lagen, und stritt sich untereinander über Nebensächlichkeiten.

Das sind meine Toten, die mir nach Tschernowo gefolgt sind, und es gibt Dutzende andere, die vor mir da waren, und deren Katzen und Hunde und Ziegen. Das Dorf hat eine Geschichte, die sich mit meiner Geschichte verbindet wie zwei Haarsträhnen zu einem Zopf. Ein Stück des Weges haben wir gemeinsam zurückgelegt. Ich grüße die Toten immer mit einer leichten Kopfbewegung, meine Lippen bewegen sich kaum.

Auf der Hauptstraße gehen ein Mann und ein kleines Mädchen, ich habe die beiden noch nie gesehen. Er trägt einen Rucksack, und sie zieht einen kleinen Koffer hinter sich her. Ihre Füße stecken in roten Sonntagsschuhen. Ich grüße sie auf die gleiche Weise wie die anderen Toten, doch dann begreife ich, dass sie gar nicht tot sind.

Ich bleibe stehen und sie auch. Wir schauen uns an. Besuch gibt es bei uns nie, wenn man die Filmleute und die Fotografen und die Biologen nicht dazuzählt. Und die Krankenschwester aus der Stadt, die alle paar Jahre auftaucht und unseren Blutdruck messen und uns Blut abnehmen möchte.

Zuletzt war sie vor sieben Monaten da, sie trug keinen Strahlenschutzanzug mehr, sondern nur einen Kittel, und hatte zu viel Rouge in ihrem vor Puder unnatürlich weißen Gesicht. Sie parkte ihren alten Lada auf der Hauptstraße und zog die Ausrüstung in einem Koffer hinter sich her. Petrow schlug ihr die Tür vor der Nase zu, Sidorow tat so, als würde er sie weder sehen noch hören, Lenotschka lächelte sie sanft an und bat, sie nicht anzufassen. Nur die Gavrilows und Marja nahmen die arme Frau in Beschlag und ließen sie nicht eher laufen, bis sie auch die Leber abgetastet und einen Sehtest durchgeführt hatte. Als sie völlig erledigt an meine Haustür klopfte, ließ ich sie herein und bot ihr einen Tee an. Ihr gehetzter Blick und die schlechte Dauerwelle erinnerten mich zu sehr an mich selbst vor vierzig Jahren.

Wer hierherkommt, bleibt in der Regel, bis man ihn zum kleinen Grundstück an der früheren Schule trägt. Das Mädchen ist vermutlich todkrank.

Ich werde es auch mit hundert Jahren nicht gelernt

haben, so etwas leichtzunehmen. Ich sehe das Mädchen so aufmerksam an, dass es fast zu weinen beginnt. Dann stelle ich mich mit Namen vor und frage, was ich für sie tun kann.

Der Mann will mir seinen Namen nicht nennen. Er ist anders als alle, die ich in diesen Breiten gesehen habe. Er ist ein Stadtmensch, aber nicht aus Malyschi. Er ist ein Mensch aus der Hauptstadt. Alles an ihm, die Schuhe und das glatte Gesicht und die Art zu sprechen, schreien heraus, dass er nicht hierherpasst. Ich bin niemand, der schnell Mitleid bekommt, und er macht es mir besonders schwer, welches für ihn zu empfinden. Das Mädchen heißt Aglaia. Es stimmt also, was Marja mir gesagt hat, dass kleine Mädchen in den Hauptstädten heutzutage wie uralte Frauen heißen.

»Aglaia, also Glascha«, sage ich. Die Kleine lächelt, und ihre Hand wechselt von der ihres Vaters in meine. Ansonsten wirkt sie nicht besonders zutraulich. Vielleicht erinnere ich sie an jemanden. Sie sieht gesund aus, rosige Wangen, dunkle Locken, nur die Augen sind traurig, und das Lächeln ist schief.

»Ich habe Sie im Fernsehen gesehen«, sagt ihr Vater zu mir, als wäre es eine Mitteilung, die mich besonders interessieren müsste.

Ich gehe mit der kleinen Glascha voran, zu einem Haus, das ich ihnen zeigen will. Ich hätte es beinah selbst genommen, aber es ist zu groß für mich. Doch die beiden hier brauchen zwei Zimmer, es ist nicht gut, wenn ein Mädchen und sein Vater sich ein Zimmer teilen müssen. Die Augen der anderen folgen uns, als wir die Hauptstraße bis zum Ende gehen.

Das Haus, das ich meine, ist blau gestrichen. Glaschas Augen beginnen zu leuchten, und mein Herz wird ganz weich. Ich zwinge mich, ihre Hand loszulassen. Aber sie klammert sich an mich.

»Gibt's da fließend Wasser?«

Ich sehe ihren Vater nicht an, als ich antworte. »Fließend Wasser hat hier niemand. Der Brunnen ist am Ende der Straße. In manchen Höfen gibt es eigene, aber in diesem nicht. Wir haben Strom. Ihr habt einen Ofen, den man heizen und auf dem man kochen kann. Ich weiß nicht, wie lange …«

Ich sehe das Mädchen an und will es nicht aussprechen. Im Winter ist es in Tschernowo nicht so leicht wie im Sommer. Aber ob sie dann noch zu zweit sind.

»Ich weiß es doch auch nicht«, sagt der Mann.

Er tritt durch die Pforte. Das Mädchen lässt meine Hand los und folgt ihm. Es rennt durch den Garten, und ich muss daran denken, dass auch Irina und Alexej schon mal hier gespielt haben. In diesem Haus hat früher eine alte Frau gewohnt, die Baba Motja, die es den Kindern aus dem Dorf erlaubte, von ihren Himbeeren zu naschen. Sie hatte nicht nur rote, sondern auch eine gelbe Sorte, die mir Irina manchmal mitbrachte, vorsichtig in der Faust eingeschlossen, um die empfindlichen Beeren nicht zu zerdrücken. Gelb und größer als gewöhnliche Himbeeren leuchteten sie auf ihrer Handfläche. Allerdings schmeckten sie nicht besonders süß.

Glaschas Vater geht ins Haus und versucht, die Fenster von innen zu öffnen. Er muss zerren und rütteln, aber dann taucht sein zufriedenes Gesicht über dem Fensterbrett auf. Es verschwindet wieder. Ein geschäftiges Klimpern ist zu hören, etwas fällt hinunter, dann taucht sein Oberkörper wieder über der Fensterbank auf wie in einem alten Bilderrahmen.

»Okay«, sagt der Mann. »Was Besseres gibt es nicht?«

Wenn ich mich in meinem Alter noch über Menschen wundern würde, käme ich nicht einmal mehr zum Zähneputzen.

»Nein«, sage ich. »Das ist das beste Haus, von der Größe, der Ausstattung und dem Zustand her.«

Er scheint überrascht zu sein, dass ich so lange Sätze hervorbringen kann.

»Okay«, sagt er wieder. »Gehört es Ihnen?«

»Nein«, sage ich. »Sie können einfach darin wohnen.«

»Und wenn jemand kommt und von mir rückwirkend Miete will?«

Ich nehme ihm sein Misstrauen nicht übel. Wenn es um den Reaktor geht, darf man niemandem trauen. Es gab erst neulich einen Skandal in unserer Region: Die Bewohner verstrahlter Dörfer, die in andere Orte zogen, bekamen Entschädigungen für ihre Häuser versprochen und gaben einen Wert an, den ihre Hütte selbst dann nicht gehabt hätte, wenn sie am Roten Platz erbaut worden wäre. Die Behörden drückten ihre Stempel drauf und nahmen sich dafür einen Teil der Entschädigungssumme. So oder ähnlich hat es Marja erzählt. Da war ich froh, dass mein Haus auch auf dem Papier noch mir gehört. Außerdem ist mein Gewissen rein, was im Alter immer wichtiger wird.

»Hier kommt niemand einfach so vorbei. Wie sind Sie eigentlich hergekommen?«

»Man hat uns gefahren. Aber nicht ganz bis zum Dorf. Der Fahrer hatte Angst.«

Ich nicke. Das Mädchen hat in der Zwischenzeit im Garten ein paar Himbeeren gefunden und steckt sie in den Mund.

Der Mann beobachtet sie aus dem Fenster. »Sind die Beeren auch verstrahlt?«

»Wissen Sie nicht, wo Sie sich gerade befinden?«

»Doch, doch«, sagt er. »Und ob ich das weiß. Sie mögen keine dummen Fragen, Baba Dunja, was?«

Ich sollte nach Hause gehen, aber irgendwas hält mich fest. Ich muss mich regelrecht zum Gehen zwingen.

»Eine allerletzte Frage noch«, ruft er mir nach. »Wo kann man hier in der Nähe etwas zu essen kaufen?«

Ich drehe mich um. Ich finde zwar, dass Verhungern vergleichsweise sanft ist, aber es liegt nicht in meiner Macht, darüber zu entscheiden, wie der Tod zu anderen Menschen kommt.

Der Mann wartet auf eine Antwort. Er ist es nicht gewohnt zu warten. Sein glattes Gesicht zuckt ungeduldig.

»Malyschi. Gemüsegarten. Vorräte. Nachbarn.«

Dann gehe ich endlich nach Hause.

Meine Arbeit hat mich gelehrt, dass Menschen immer und ausschließlich das tun, was sie wollen. Sie fragen nach Ratschlägen, aber eigentlich brauchen sie fremde Meinungen nicht. Aus jedem Satz filtern sie nur das heraus, was ihnen gefällt. Den Rest ignorieren sie. Ich habe gelernt, keine Ratschläge zu erteilen, wenn man mich nicht ausdrücklich darum bittet. Außerdem habe ich gelernt, keine Fragen zu stellen.

Ich warte die Abendstunden ab, um meine Gurken und Tomaten zu gießen. Bienen schwirren um die gelben Zucchiniblüten. Ich betrachte sie verzaubert. Ich habe nach dem Reaktor lange keine Bienen hier gesehen. Die Tiere gingen damit unterschiedlich um. Die Bienen verschwanden. Ich habe meine Tomaten mit einem kleinen Pinsel von Hand bestäubt. Dass jetzt eine Biene in den Blütenkelch krabbelt, ist vielleicht genau die gute Nachricht, die Petrow sich gewünscht hat. Wäre ich jünger, würde ich sie herausschreien. Ich beschließe, sie Irina aufzuschreiben. Und Laura.

Später koche ich mir einen Tee aus frischen Himbeerblättern. Als ich mich vom Kocher abwende, sehe ich Jegor dasitzen. Es tut mir leid, ihm keinen Tee anbieten zu können. Tee zu zweit zu trinken, ist schöner. Es ist vielleicht das Einzige, was im Alter zusammen schöner ist als allein. Ich habe ihm mal eine Teetasse hingestellt, aus Höflichkeit, bis ich begriff, dass ich ihm damit keinen Gefallen tat.

Jegor schaut mich aus seinen dunklen Augen an. Ich werde verlegen. Ich bin gealtert seit seinem Tod, und er könnte jetzt mein Sohn sein. Da muss er mich nicht so mit den Augen ausziehen.

Irgendwann halte ich es nicht mehr aus. »Was starrst du so?«

Er lehnt sich zurück. »Ich schaue dir gern zu.«

»Kannst du eigentlich irgendeine andere Sprache außer Russisch?«

»Surschyk.«

»Das ist keine eigene Sprache. Das ist ein Dialekt. Hast du in der Schule nichts gelernt?«

»Wir hatten keine Fremdsprachen in der Schule«, sagt er gelassen und sieht durch mich hindurch. Sicher sieht er auch Lauras Brief in meinem Ärmel. Ich bin dankbar, dass er nichts sagt.

»Hast du die Neuen gesehen?«

Er hebt eine Augenbraue. »Der Typ ist ein Arschloch«, sagt er.

Ich widerspreche ihm nicht. Obwohl ich nicht daran glaube, dass es gute und schlechte Menschen gibt. Ich wüsste zum Beispiel gar nicht, zu welcher Sorte ich gehöre. Als ich jung war, habe ich mich so sehr darum bemüht, ein guter Mensch zu sein, dass ich damit gefährlich für andere wurde. Ich war zum Beispiel sehr streng zu meinen Kindern, damit sie ordentliche und fleißige Bürger werden. Jetzt tut es mir leid, dass ich sie nicht mehr verwöhnt habe. Aber verwöhnen war zu unserer Zeit verpönt. Man sagte, dass man damit nur verzärtelte Taugenichtse heranzöge, und das wollte ich meinen Kindern ersparen. Vor allem zu Alexej war ich streng, auch wenn es mir das Herz brach.

»Das Mädchen wird sterben«, sagt Jegor.

Ich sehe von meiner Tasse auf. Natürlich wird es das. Wir alle werden sterben. Manche früher, andere später, und ein Kind, das hierherzieht, bleibt sicher nicht lang. Kinder sind zart und empfindlich. Es sind so alte, zähe Brocken wie Marja und ich, die ewig durchhalten. Uns kriegt keine Mikrowelle weich.

»Er bringt sie mit seinen eigenen Händen um.« Jegor schaut vielsagend aus dem Fenster.

»Was kann er dafür, dass sie krank ist?« Ich gönne es Jegor selbst im Tod nicht, wenn er so tut, als wäre er der Klügere von uns beiden.

»Er wird was dafür können, weil er sie hierhergebracht hat.«

Und dann beginne ich zu begreifen, worauf er hinauswill, weil ich es schon die ganze Zeit geahnt habe. »Du meinst, sie ist nicht krank?«

Früher hätte er auf den Boden gespuckt. Jetzt zuckt er nur mit den Schultern. »Noch nicht. Aber das kann sich schnell ändern.«

»Aber warum würde ein Vater so etwas tun?«

»Väter.« Nun spuckt er doch. »Du weißt doch alles über Väter. Was war ich für einer?«

Jetzt ist es an mir, höflich zu schweigen. Die meisten Frauen, die ich kannte, wären besser dran gewesen, wenn sie ihre Kinder allein durchgebracht hätten, ohne ständig über die Stiefel ihres betrunkenen Mannes zu stolpern.

Aber das finde ich nicht gut. Tief in meinem Herzen denke ich, dass ein Mensch zu zweit sein muss. Zumindest, wenn er eine Aufgabe hat. Familie ist für zwei da. Jegor hat mir schon zu Lebzeiten sehr gefehlt, egal, was ich immer behauptet habe. Jetzt ist er da, und es ist zu spät.

»Du weißt etwas«, sage ich.

»Seine Frau hat ihn verlassen. Er will es ihr so richtig zeigen«, sagt Jegor.

Ich vergesse immer wieder, wie alt ich bin. Ich wundere mich über meine ächzenden Gelenke, über die Schwerkraft beim morgendlichen Aufstehen, über das fremde, runzlige Gesicht im zerkratzten Spiegel. Aber jetzt, als ich über die Hauptstraße laufe, sogar renne, da bin ich wieder leicht. Noch leichter kann man wahrscheinlich nur im Tod sein. Ich reiße die Pforte auf, eile durch den Garten und schlage mit der Faust gegen die Bretter der blau gestrichenen Hauswand.

Der Mann steht wenig später im Türrahmen, in Jeans und Turnschuhen. Über den Schultern spannt ein T-Shirt mit einem ausländischen Aufdruck.

»Was willst du?« Er schreckt vor mir zurück. Ich schiebe meinen Fuß nach vorn, bevor er die Tür schließen kann.

»Du bringst ein gesundes Kind hierher?«

Er versucht, meinen Fuß in der Trekkingsandale mit seinem Turnschuh aus der Tür zu schieben. Wir schnaufen wie zwei Wildschweine beim Beischlaf.

»Hast du komplett den Verstand verloren?« Das bin ich.

»Kümmere dich um deinen eigenen Verstand.«

»Deine Frau hat dich verlassen, was kann das kleine Mädchen dafür?«

»Blödsinn.« Er tritt gegen meinen Fuß, und ich taumele zurück, fast wäre ich hingefallen. Jegor steht hinter mir, doch er kann mich nicht stützen.

»Sie muss SOFORT hier weg!« Ich habe so lange nicht mehr geschrien. »Sie ist gesund!«

»Wer von uns ist schon gesund?«

Er tritt vor das Haus, ganz nah an mich heran. Ich

rede auf ihn ein, wie süß seine kleine Tochter ist, dass er mit ihr woanders hingehen soll, er kann sich ja vor den Zug werfen, aber das Kind, das soll er nach Hause bringen, weg von hier. Sein Gesicht wird zu einer Fratze. Er schubst mich, ich schwanke und halte mich an seinem T-Shirt fest. Er schlägt gegen meinen Arm. Mit einem trockenen Geräusch reißt der Stoff, vielleicht ist das aber auch irgendwas in mir, seine Faust hat meine Rippen getroffen. Es tut weh, aber ich habe keine Angst vor Schmerz. Ich habe nur Angst vor Hilflosigkeit. Aber selbst die kann mich nicht davon abhalten, Dinge zu sagen, die mir wichtig sind.

»Was weißt du überhaupt?«, schnauft er und stößt mir grob gegen die Schulter. Jetzt stürze ich wirklich. Ich liege auf dem Boden, über uns der leuchtende Große Wagen, die Nacht ist wolkenlos. Er tritt mir mit voller Wucht in die Seite, sein Gesicht ist verzerrt. Seine Finger schließen sich um meinen Hals. Ich höre mich röcheln. Dass zwei so leise sein können, wenn einer von ihnen gerade den anderen umbringt.

Jegor steht hinter ihm und weint.

Was dann passiert, verstehe ich zuerst nicht. Ein trockenes Knacken aus dem Nichts. Der Mann, der sich mir nicht mit Namen vorgestellt hat, richtet sich auf und taumelt. Einen Augenblick steht er in einer verrenkten, widernatürlichen Haltung da. Dann stürzt er zu Boden, und zwar nur knapp neben mich.

Ganz gegen meinen Willen beginne ich plötzlich zu jammern. Wenn ein starker Mann einfach so hinfällt, dann ist das immer ein Schreck. Es gilt aber erst einmal, selbst aufzustehen. Ich rolle mich auf die linke Seite und dann auf den Bauch. Als Nächstes gehe ich auf die Knie und stütze mich mit den Händen ab. Ich krieche zu dem Mann, der umgefallen ist.

»Herr, was ist mit dir, Herr?«

Sein Kopf liegt mit dem Gesicht in einer Blutlache. In seinem Schädel steckt eine kleine Axt. Ich sehe zu Jegor rüber, der die Hände hebt, als wollte er sagen: Du siehst doch, ich bin unbewaffnet. Ich knie mich stöhnend hin, und mein Blick wandert langsam durch die Dunkelheit, aus der sich ein Umriss löst.

»Petrow«, sage ich. »Petrow, du Schwein.«

In Petrows Gesicht wabert ein irres Lächeln. Sein Blick ist abwesend. Ich frage mich, ob er vielleicht gerade schlafwandelt. Dann schüttelt er sich und versucht, mich auf die Beine zu ziehen, wodurch er mir noch mehr Schmerzen zufügt.

»Warum hast du dich mit ihm geprügelt, Baba Dunja?«

»Ich wollte ihn nicht hierhaben.«

»Hat er sich danebenbenommen? Dir keinen Respekt gezeigt?«

»Siehst du doch.« Ich stehe wieder und erlaube ihm, vor mir auf die Knie zu gehen und den Dreck von meinem Rocksaum abzuklopfen.

»Es tut mir furchtbar leid, dir diese schöne Nacht zu versauen, aber ich glaube, ich habe ihn umgebracht.«

Ich habe zu viele Wunden in meinem Leben gesehen, um ihm jetzt zu widersprechen.

»Die Frage ist eine ganz einfache«, sagt Petrow. »Was machen wir mit ihm?«

»Um ihn«, sage ich und halte mir die Rippen, die sich bei jedem Atemzug mit stechendem Schmerz melden, »geht es gerade gar nicht.«

Das Mädchen sitzt im Bett und blinzelt in die Dunkelheit. Unsere schmutzigen Gesichter müssen ihr schreckliche Angst einjagen. Aber sie bleibt tapfer. Sie weint nicht, sie guckt mich an, fast ohne zu blinzeln. Bestimmt erinnere ich sie an jemanden.

»Du kommst jetzt mit mir, Glascha«, sage ich und versuche, mir meinen Kummer nicht anmerken zu lassen. »Dein Papa ist gerade ausgefallen.«

Sie fragt nicht nach ihm. Das ist ein gutes Zeichen. Eigentlich ein schlechtes, aber für uns im Moment ein gutes. Sie krabbelt aus dem Bett, ein properes Mädchen in rot gepunktetem Nachthemd. Ihr kleiner Koffer liegt geöffnet auf dem Boden, und auf dem Kissen sitzt ein Plüschtier mit langem Schwanz.

»Morgen früh geht's nach Hause«, sage ich. Eigentlich wäre heute Nacht besser, aber ich kann nicht zaubern.

Ich nehme das Mädchen an die Hand. Sie merkt nicht, wie sie an der Leiche ihres Vaters vorbeiläuft, die wie ein länglicher Erdhügel in der Dunkelheit liegt. Für heute nehme ich sie mit zu mir.

Petrow trägt ihren kleinen Koffer und redet die ganze Zeit auf mich ein. Er macht mich wahnsinnig, weil ich dabei zu spüren glaube, wie die Strahlung durch die

Poren unter die Haut dieses Kindes dringt. Das lässt mich meine eigenen Verletzungen vergessen.

»Alufolie«, sage ich laut. »Wenn jetzt eins helfen kann, dann ist es Alufolie.«

»Wer hat hier schon Alufolie?«

»Ich. Ich habe Alufolie.«

Ich habe in der Tat welche, Irina sei Dank. Sie hat mir allerhand Sachen für die Küche geschickt, deutsche, praktische Sachen, die es früher nicht gegeben hat. Backpapier, damit man Kuchen backen kann, ohne das Blech einzufetten. Silikonförmchen für kleine Kuchen, für die ich früher ausgespülte Konservendosen verwendet habe. Und gute, feste Alufolie mit Wabenmuster.

»Glascha«, sage ich. »Du wirst dich jetzt sehr wundern.«

Das Mädchen muss eine alte Seele haben. Sie wundert sich wenig. Ich frage sie, ob sie weiß, was an unserem Dorf so besonders ist. Sie schüttelt den Kopf. Vielleicht ist es besser so. Ich sah Menschen schon Verbrennungen bekommen, weil sie sich einbildeten, etwas Glühendes anzufassen. Wenn ich dem Mädchen die Sache mit der Strahlung erzähle, wird sie den nächsten Monat nicht überleben.

»Es ist wie ein Spiel«, sage ich. »Du wirst das ganz dumm finden, aber dafür bleibst du gesund und wirst groß und bekommst fünf Kinder mit einem netten Mann.«

Sie lacht, die Vorstellung findet sie offenbar komisch. Ich packe die Alufolie aus, Petrow hilft mir dabei. Im Koffer hat Glascha noch eine Strumpfhose und ein Hemd mit langen Ärmeln, die soll sie anziehen, damit der Schutzpanzer ihre zarte Haut nicht zerkratzt. Dann streckt sie Arme und Beine von sich, und wir wickeln die silbrige Folie drum herum. Glascha kichert. Ich bin dankbar für ihr angenehmes Wesen, dass sie nicht weint und sich nicht sperrt. Auch die Jodtablette aus meiner Hausapotheke schluckt sie ohne zu murren. Wenn sie immer so folgsam ist, muss man fast schon Angst um sie haben.

Sie schläft klaglos in meinem Bett ein, nachdem sie sich in der Alufolie hin und her gewälzt hat. Und ich liege wach und schwerfällig neben ihr und atme flach, damit mir die Rippen nicht so wehtun. So habe ich neben Irina und Alexej geschlafen, als sie klein waren und sich an meinen Körper schmiegten, der damals ziemlich ausladend war. Sie mochten das gern, dass ich so weich und warm war. Jegor mochte das auch.

Zart wie ein Vögelchen atmet das fremde Mädchen in meinem Bett, Petrow schaukelt wieder in der Hängematte in seinem Garten, und Jegor geistert durch die verlassenen Gärten und weint Dingen nach, die er nicht mehr zurückholen kann.

Es ist beschämend, aber ich muss bei der Wahrheit bleiben. Ausgerechnet an diesem Morgen verschlafe ich. Ich schlage die Augen auf, und das Bett neben mir ist leer. Wenn ich hektisch hochfahren würde, müsste ich den Rest der Woche auf allen vieren krabbeln, und dafür bin ich zu alt. Das Knistern weist mir die Richtung.

Glascha rollt alte Knöpfe, die sie in einer Schublade gefunden haben muss, über die Holzdielen. Am Bettvorleger bremsen die Knöpfe ab. Die Alufolie hängt in Fetzen an ihr herunter.

Jetzt springe ich aber doch aus dem Bett. Augenblicklich reißt mich der Schmerz zurück auf die Matratze, und ich unterdrücke ein Stöhnen.

»Du musst auf das Alu aufpassen, mein Goldstück.«

»Ist kaputtgegangen.«

»Das sehe ich. Wir machen dir eine neue Rüstung.«

Jetzt muss ich auch noch elend husten, weil sich mein Hals so geschunden anfühlt.

Wir sind gerade mit der Folie fertig geworden, als jemand an die Tür klopft. Ich binde mir noch schnell ein Tüchlein um den Hals, um die Würgemale zu verdecken. Dann öffne ich. Die Gavrilows stehen da und teilen sich einen Gesichtsausdruck. Der sieht aus, als hätte ich ihnen vors Gartentor gekackt.

»Baba Dunja«, sagt Gavrilowa, während ihr Mann an ihr vorbei in meine Stube glotzt. »Wir finden, dass Sie es zuerst wissen sollten.«

Ich schiebe Glascha hinter meinen Rücken, als könnte ich sie auf diese Weise vor allem Übel dieser Welt verbergen.

»Der neue Bewohner liegt mit gespaltenem Schädel im Garten«, berichtet Gavrilowa präzise und schadenfroh.

»Mein Papa?«, fragt Glascha überraschend scharfsinnig hinter meinem Rücken.

»Nein, ein anderer«, antworte ich mechanisch.

»Aber wo ist mein Papa?«

»Der ist plötzlich verreist, Schätzchen.«

Das nimmt sie mir ab. Jedenfalls stellt sie keine Fragen mehr und geht auf die Knie, um die verstreuten Knöpfe einzusammeln.

»Und was erwarten Sie jetzt von mir, Lydia Illjinitschna?« Wir reden uns auch in besonderen Situationen mit dem Vornamen und dem Vatersnamen an. Wir haben miteinander keine Brüderschaft getrunken.

»Auf dem sitzen schon die Fliegen«, sagt Gavrilow und schaut mich vorwurfsvoll an.

Keine zehn Minuten später hocken sie auf meinem Bett und trinken den afrikanischen Kaffee, den Irina mir aus Deutschland geschickt hat. Die Gavrilows sind mindestens zwanzig Jahre jünger als ich. Trotzdem sind sie der Meinung, dass mich der Tote im Garten mehr angeht als sie. Die Begründung bleiben sie eine ganze Weile schuldig, bis Gavrilow zaghaft damit rausrückt.

»Sie sind doch eine Art Bürgermeisterin hier.«

»So hat mich wirklich noch niemand beschimpft.«

»Ich verstehe, dass Sie viel zu tun haben, Baba Dunja, aber es ist einfach unhygienisch.«

Zehn Minuten später ist mein Haus so voll, dass ich Glascha zum Spielen hinausschicke. Ich würde am liebsten hinterher, aber auf mich reden alle ein. Selbst Lenotschka ist da. Dazwischen stehen die Toten und verziehen angeekelt die Gesichter, wenn die Lebenden ihnen auf die Füße treten. Alle wollen mir berichten, dass der Neue mit der Axt im Kopf im Garten liegt. Alle gucken mich an und erwarten, dass ich ihn wegzaubere. Und die Fliegen. Und die Aufregung.

Mein eigener Kopf schmerzt inzwischen so sehr, als

hätte auch ich eine Axt im Hirn. Wir hier in Tschernowo lassen uns normalerweise gegenseitig in Ruhe. Manchmal besuchen wir uns, aber nie alle auf einmal. Wir haben eine stille Übereinkunft, dass jeder seine Probleme allein löst und die anderen damit nicht belästigt. Ich zum Beispiel winke ja auch nicht mit Lauras Brief und rufe: »Wer sagt mir, was drin steht? Kann jemand Deutsch von Englisch unterscheiden?«

Doch nun gibt es ein gemeinsames Problem, und es sitzen Fliegen drauf.

Irgendwann kommt auch Petrow. Alle machen ihm Platz: Seine offensichtliche Todesnähe verschafft ihm Respekt. Er hat mit dem Andrang nicht gerechnet und sieht sich eingeschüchtert um. In seinem Gesicht steht geschrieben, dass auch er von mir wissen möchte, was nun zu tun sei. Ich seufze. Meine Rippen schmerzen immer schlimmer, aber dafür muss sich niemand interessieren. Ich drücke möglichst unauffällig eine Hand dagegen.

»Petrow«, sage ich laut. »Bitte erzähle du nicht auch noch, dass da jemand im Garten liegt.«

Petrow klappt den Mund zu und versucht in meinem Gesicht zu lesen.

Setz dich dazu und reg dich ein bisschen mit den anderen auf, versuche ich ihm mit den Augen zu sagen. Ich werde dich nicht verraten. Die anderen haben nicht mitgekriegt, dass du es warst.

Das Geschnattere geht munter weiter.

»Wir müssen einen Krankenwagen rufen!«

»Einen Leichenwagen«, korrigiert Petrow schüchtern.

»Wir müssen nach Malyschi.«

»Was sollen wir da, die sind doch alle korrupt und versoffen.«

»Ich kann diesen Marsch nicht mitmachen.«

»Wer ist hier noch am besten auf den Beinen?«

»Ich bin praktisch selbst schon tot.«

»Ich hatte schon vor fünf Jahren Wasser in der Lunge.«

»Mein Herz lacht sich schlapp, wenn ich mehr als drei Schritte gehe.«

Am kränksten fühlen sich ausgerechnet die beiden rosigen Gavrilows. Es stellt sich heraus, dass man mich für die Fitteste hält.

»Ihr habt wirklich die Dreistigkeit, einer alten Frau, die schon mit einem Bein im Grab steht, nahezulegen, diese Reise auf sich zu nehmen? Habt ihr kein Gewissen? Ich war gerade erst in Malyschi und schaffe es kein zweites Mal.«

»Schon gut, Baba Dunja.« Das ist jetzt Petrow. »Ich mach das. Du siehst wirklich blass aus. Alle raus hier, sie muss sich hinlegen.«

Die Gavrilows machen tatsächlich Anstalten, von meinem Bett aufzustehen. Aber dann lassen sie sich doch zurückfallen. Ich schaue in Petrows durchsichtiges Gesicht. Er hat heute sicher nichts gegessen, und auch gestern kaum. Seine Augen leuchten, und die wenigen Haare auf seinem Schädel stehen zu Berge. Man muss keine medizinische Hilfskrankenschwester gewesen sein, um zu erkennen, dass Petrow nicht weit kommen wird.

Ich verstehe, dass ich wirklich gehen muss. Ich

werde Glascha mitnehmen. Wenn ich langsam gehe und sachte atme, schaffe ich es vielleicht. Ich muss nur noch kurz Kraft sammeln, wenigstens eine Viertelstunde. Doch bevor ich es ausspreche, zittert Sidorows rostige Stimme durch mein Haus.

»Man kann die Miliz auch anrufen.«

Er hat es wirklich gesagt: Man kann die Miliz auch anrufen.

Verlegenheit macht sich breit.

»Du kannst vielleicht wie E.T. nach Hause telefonieren, aber wir Erdlinge brauchen eine funktionierende Leitung.«

Das ist Petrow. In den Gesichtern der anderen Versammelten lese ich, dass er auch für sie in Rätseln spricht. Wer weiß, in welchen halb verrotteten Büchern er mal wieder gelesen hat.

»Ich wollte euch nur helfen, ihr Deppen.« Sidorows Stimme schwillt beleidigt an. »Es dauert nicht mehr lang, und er stinkt zum Himmel.«

Alle nicken. Niemand will, dass Sidorow sich aufregt.

»Die Gesprächsqualität ist SEHR GUT!«

»Danke dir, Sidorow«, sage ich. »Später vielleicht.«

Er knallt mit der Tür, dass mein ganzes Häuschen erzittert. Irgendwann hat jemand meinen restlichen Stachelbeerwodka gefunden, den ich für medizinische Zwecke aufbewahre. Als die Flasche bei mir ankommt, ist sie so gut wie leer. Ich schaue mich auf der Suche nach einem Glas um, dann schütte ich den Rest einfach so in meinen Mund.

Die Tür geht plötzlich wieder auf, und auf der Schwelle erscheint Glascha in Alufolie.

»Ich habe Mama angerufen«, sagt sie laut, nachdem sie mich entdeckt hat.

Ich verstecke die leere Flasche beschämt hinter meinem Rücken.

»Ich hab es euch doch gesagt.« Sidorow wankt hinter Glascha wie Schilfrohr im Wind. Glascha strahlt übers ganze Gesicht.

»Ich habe Mama angerufen. Ich wusste die Nummer.«

»Du bist mein süßes kluges Goldschätzchen«, sage ich. »Sidorow, ich sag's dir ganz aufrichtig: Mir ist auch ohne dich schon speiübel. Schieb dich vom Acker und mach mir das Kind nicht verrückt.«

»Die Mama holt mich ab«, sagt Glascha. »Zusammen mit der Miliz.«

In diesen Stunden habe ich das Gefühl, es könnten die letzten unseres Dorfes sein. Die Gavrilows haben ausnahmsweise etwas Sinnvolles für die Allgemeinheit getan und den Toten mit einer Plane zugedeckt. Ich wusste gar nicht, dass sie so etwas haben, obwohl ich geahnt habe, dass ihr Hof ein Lager wertvoller und nützlicher Dinge ist. Die anderen haben sich auf ihre Häuser und Höfe verteilt, und ich bin allein mit Glascha und Marja, die sich auf meinem Bett breitgemacht haben. Ich setze mich auf einen Stuhl und versuche, eine Position zu finden, in der die Rippen etwas weniger schmerzen.

»Ich glaube, Alufolie bringt gar nichts«, sagt Marja.

»Pssscht«, mache ich. »Sie hilft sehr gut.«

»Weißt du eigentlich, wer das gewesen ist?«, fragt Marja.

Solange die Kleine mit gespitzten Ohren danebensitzt, kann ich nicht riskieren, dass mir Marja ihre Gedankengänge ausführlicher erläutert. Ich zische noch einmal mahnend.

»Ich glaub, es war Gavrilow«, sagt Marja, die mich nicht verstehen will.

»Dumme Frau, Furunkel auf deine Zunge, was hätte er denn für ein Motiv?«

»Er hatte Angst, dass man ihm was klaut.«

»Du warst zu lange in der Sonne, Marja.«

»Oder du bist es gewesen. Du hast ihn zur Strecke gebracht.«

Vor Überraschung komme ich sofort auf die Beine. Aber mir wird schwindlig, und ich falle fast um. Marja kriegt es nicht mit, sie bearbeitet ihre Fingernägel mit einer Glasfeile, die Irina mir geschickt hat.

»Warum sollte ich das getan haben, Marja?«

»Weil er böse war.«

»Ich kann nicht jeden umbringen, der böse ist.«

»Jeden natürlich nicht.« Marja gähnt. »Reg dich nicht so auf, ich werde dich nicht verpfeifen.«

»Ich auch nicht«, sagt Glascha.

Wäre ich zehn Jahre jünger, hätte ich jetzt Angst. Aber ich bin einfach nur müde. Ich warte darauf, dass sich alle wieder in ihren Häusern verkriechen und ich ungestört auf der Bank sitzen kann. Ich wünsche mir den Winter herbei: Alle hocken drin, und der Wind pustet den Schnee gegen die Fenster. Ich freue mich sogar ein bisschen auf die Zeit, wenn Glascha nicht mehr da ist. Sie hat ständig Hunger, und ich erlaube ihr nicht, Gemüse aus meinem Garten zu essen. Ich koche ihr Hirsebrei mit der H-Milch, die ich von Sidorow geholt habe, und verrühre meinen letzten Zucker darin, weil sie den Brei sonst nicht isst.

»Deine Mama kommt sicher bald.«

»Meine Mama rennt.« Glascha drückt sich an meine Hüfte und vergräbt ihre Stupsnase in den Falten meines Rocks. »Meine Mama hat am Telefon geweint.«

»Und du hast wirklich ihre Stimme gehört? Durch das kaputte Telefon?«

»Es war nicht kaputt. Es hat nur sehr gerauscht.«

Ich setze mich auf die Bank und warte. Die anderen sind zwar zurück in den Häusern, aber ihre Nasen kleben an den Fenstern, Augen gucken durch die Löcher im Zaun. Nur Petrow schaukelt in seiner Hängematte, als könnte ihm selbst der Weltuntergang nichts anhaben. Ich würde ihm gern sagen, dass er keine Angst zu haben braucht. Niemand wird ihn belasten.

Man hört sie von Weitem, und es ist sofort klar, es ist mehr als ein Auto. Bald sehen wir sie, es sind drei. Vorneweg ein hoher schwarzer Wagen mit dicken Reifen. Dahinter zwei Pkws der Miliz. Sie parken in einer Staubwolke auf der Hauptstraße.

Glascha leckt seelenruhig ihre Breischüssel aus. Die Fahrertür des schwarzen Autos öffnet sich zuerst. Es ist ein Auto, aus dem ein Mann steigen sollte, nicht diese Blondine in Hosen wie ein Kerl und in Schuhen mit hohen Absätzen. Ihre Frisur klebt am Kopf, und die Wimperntusche ist verlaufen.

»Wo ist sie?«, ruft sie herzzerreißend. »Wo hast du sie versteckt, du Aasgeier?«

»Glascha«, flüstere ich. »Sie ist verrückt, guck nicht hin.«

»Das ist meine Mama.« Glascha stellt die Schüssel ordentlich auf der Bank ab und rennt los. Die Frau geht in die Knie, öffnet die Arme und wimmert wie angeschossen. Die Alufolie flattert. Das Mädchen hängt am Hals der Frau, und ich bekomme feuchte Augen.

»Was haben sie dir angetan?« Glaschas Mama beginnt, die Folie abzureißen.

»Niiiicht«, kreischt Glascha, was mir durch Mark und Bein geht. »Nicht abmachen. Sonst falle ich tot um.«

Alles vermischt sich. Die Luft flirrt. Die Milizen umkreisen Mutter und Kind, als müssten sie sie vor Angriffen schützen. Die Frau schreit Unverständliches. Dabei zerrt sie einen Schutzanzug aus dem Kofferraum, in den sie Glascha zu zwängen versucht. Ich frage mich, warum sie selbst keinen trägt, wenn sie an so etwas glaubt. Zwischendurch ruft sie »Germann, Germann, damit kommst du mir nicht davon!«.

Germann ist nicht etwa ihr Hund, begreife ich, das ist der Mann, der unter Gavrilows Plane liegt. Auf dem die Fliegen sitzen.

Ich stehe auf. Meine Rippen melden sich wieder, mir entfährt ein Jammerlaut. Ganz langsam nähere ich mich der Gruppe. Die Milizen gucken mich an. Die Frau drückt Glascha an ihre Brust. Glascha dreht den Kopf und strahlt mich an.

»Fahr weg, Tochter«, sage ich zu der Frau in Hosen. »Bring dein Kind in Sicherheit.«

Der Wahnsinn weicht aus ihren Augen, und es wird klar, sie ist eine Frau wie jede andere, und man kann normal mit ihr sprechen.

»Sie meinen«, sie späht in mein Gesicht, als hoffte sie, dort Antworten auf alle ihre Fragen zu lesen, »Sie meinen, es ist noch nicht zu spät?«

»Es ist nie zu spät«, lüge ich. Warum muss sie das ausgerechnet mich fragen?

»Sie sind Baba Dunja, nicht?«

Ich nicke. Sie schnieft wie ein Mädchen, wischt sich übers Gesicht und zieht etwas kleines Rechteckiges aus der Tasche. »Darf ich?«, fragt sie, und bevor ich etwas antworten kann, drückt sie ihre Wange an meine und schießt ein Foto von uns mit ihrem tragbaren Telefon. Dann nimmt sie Glascha an die Hand und geht zum Auto.

Der Milizmann ruft ihr zu, was jetzt mit der Anzeige sei. Sie winkt ab. Sie fragt nicht nach ihrem Mann. Wenn sie ihn sehen wollte, hätte ich jetzt ein Problem. Aber sie hat ihr Kind zurück und will einfach weg. Das kann ich nur begrüßen. Glascha schnallt sich auf dem Rücksitz an und guckt mir zu, wie ich mich an einen Baum lehne, weil meine Beine schwach werden. Ich versuche ihr Lächeln zu erwidern.

»Lassen Sie die Dame fahren, Genosse Milizionär«, sage ich leise. »Aber Sie, Sie bleiben bitte da.«

Später erst begreife ich, welch großen Fehler ich gemacht habe. Wir hätten das mit dem Mann unter der Plane selbst regeln müssen. Wenn ein Dutzend Lahme und Gebrechliche mitanpacken, schafft man es locker, eine Leiche verschwinden zu lassen.

Ich tue dennoch meine Bürgerpflicht und führe die Milizen zu dem Garten. Ich stehe daneben, während sie die Plane lupfen. Sehe das Unglück in ihren Gesichtern. Auch ihnen wäre es lieber, ich hätte sie damit nicht behelligt. Sie sind zu viele, um mit mir die Absprache zu treffen, sie hätten nichts gesehen.

»Wer ist eigentlich die Mutter des Mädchens?«, frage ich leise den Jüngsten von ihnen, einen schmächtigen Burschen, der an den Härchen über seiner Oberlippe zupft.

»Das wollen Sie gar nicht wissen«, antwortet er ebenso leise. »Aber glauben Sie mir, sie wird nicht trauern.«

Das ist mir schon klar. Wer jetzt mit Trauermienen herumsteht, sind die Milizen. Einer von ihnen macht Fotos. Der andere hält die Arme um sich geschlungen, als würde er frieren. Der Dritte schüttelt sein tragbares Telefon.

»Hier ist kein Netz. Wir müssen telefonieren. Von wo wurde die Mutter angerufen?«

Ich führe sie zu Sidorows Haus. Sie treten ohne zu klopfen ein. Das würde selbst ich als Beinahe-Verlobte nicht tun. Sidorow nimmt keine Notiz von ihnen; er schnarcht auf seiner abgewetzten Ottomane wie ein Scheich. Auf dem Boden steht das einst orangefarbene Plastiktelefon, von dem ein Kabel zur Steckdose führt.

Der jüngste Polizist nimmt das Gerät hoch und hebt den Hörer ab. Er hält ihn ans Ohr und reicht ihn dann weiter. Vermutlich an seinen Vorgesetzten, der mich grimmig anschaut.

»Wollen Sie mich auf den Arm nehmen, Mütterchen?«

Er ist wütend, und es sieht aus, als wollte er die Hand gegen mich erheben. Aber das tut er dann doch nicht. Vielleicht sind die Milizen heute anders als früher, oder er hat auch eine alte Mutter zu Hause. Der junge Milizmann dreht fasziniert an der Wählscheibe.

»Ich wäre Ihnen sehr verbunden, Kapitän, wenn Sie den Toten mitnehmen würden. Die Außentemperatur ist hoch, und das Ungeziefer verbreitet sich schnell. Wir wollen nicht, dass hier Krankheiten ausbrechen.«

»Als ob ihr hier im Sanatorium wärt. Ich fahre keinen Leichenwagen, Mütterchen, falls es Ihnen noch nicht aufgefallen ist. Wir reisen jetzt zurück nach Malyschi.« Er lächelt. »Erwarten Sie einen Besuch von unseren Kollegen.«

Es ist dieses Lächeln, das mich zurückwirft in eine Zeit, in der mein Herz selten langsamer schlug als hundertmal pro Minute. Ich bin kein kaltblütiger Mensch, bin es nie gewesen. Im Grunde habe ich immer versucht, dem Leben hinterherzurennen. In Momenten wie diesem vergesse ich, dass ich alt bin und nirgends mehr hinmuss.

Es ist wieder so, als wäre ich erst dreißig und müsste alles allein tun. Morgens um fünf aufstehen, die Kühe melken, eine Hühnersuppe aufsetzen, dann einen Brei, beides unter einem Pelzmantel warm stellen. Die Eier im Hühnerstall einsammeln und einige für die Mittagspause hart kochen. Irina aufwecken, die gähnt und jammert. Alexej aufwecken, was schnell und leicht geht, er hüpft wie ein Häschen durchs Haus und lässt sich nur mühsam einfangen. Ich stelle ihnen die Breischüsseln hin und achte darauf, dass sie aufessen. Ihre Schulranzen kontrolliere ich nicht, dazu reicht die Zeit nicht. Ich gebe ihnen abgezählte Münzen für das Schulessen mit und weise Irina an, dass sie später die Hühnersuppe für sich und ihren Bruder aufwärmt. Ich habe nicht mal die Viertelsekunde Zeit, um ihnen hinterherzusehen, als sie die Straße hinunterlaufen.

Ich packe zwei hart gekochte Eier in eine Serviette und verstaue sie in meiner Tasche. Ich renne zur Bushaltestelle, dabei geht ein Absatz kaputt. Kurzerhand ziehe ich mir den zweiten Schuh aus und breche auch da den Absatz ab. Im Kleinbus nach Malyschi muss ich stehen; eine ungewaschene Achselhöhle versperrt mir die Sicht, aber ich habe einen medizinischen Beruf und werde im Tagesverlauf noch mit schlimmeren Gerüchen konfrontiert. In der städtischen Notaufnahme angekommen, ziehe ich meinen weißen Kittel an. Ab jetzt bin ich eine Maschine, die Wunden verbindet, Splitter zieht, ein gebrochenes Bein schient, ein kotzendes Kind tröstet und das Maßband um den Bauch einer Schwangeren schlingt. Der Arzt besteht darauf, dass es Zwillinge sein müssen, und ich streite mit ihm, weil ich ahne, dass das nicht der Fall ist. Das

Kind wird bei der Geburt fast fünf Kilo wiegen, es ist ein Junge.

In der Mittagspause esse ich meine Eier mit einem Stück Brot und trinke Kwass dazu, den der Arzt in einer Plastiktüte vom Straßenverkauf mitgebracht hat. Ich denke an Irina und Alexej und frage mich, ob sie heute wohl alles richtig gemacht haben. Ich kann sie nicht anrufen, denn wir haben kein Telefon zu Hause. Wir stehen auf der Warteliste für einen Anschluss, doch in den nächsten fünf Jahren ist nichts in Aussicht. Aber die Kinder wissen, wie sie mich auf der Arbeit erreichen können, und ich zucke jedes Mal zusammen, wenn hier das Telefon klingelt. Der Apparat war ähnlich wie Sidorows, und ich hätte einen Finger hergegeben für einen solchen bei uns daheim.

Auf der Toilette wasche ich mir die Hände und ziehe den Lippenstift nach. Aus dem Spiegel schaut mir eine erschöpfte Frau mit Schlupflidern entgegen. Ich fühle mich uralt und sehe auch so aus. Ich habe Jegor seit drei Tagen nicht gesehen und weiß nicht, wo er steckt. Ich ziehe die Schuhe aus, setze mich auf den Klodeckel und mache Venengymnastik, von der ich in der *Bäuerin* gelesen habe.

Das nächste Mal komme ich wieder zu mir, als es zehn Uhr abends ist. Die Kinder schlafen Rücken an Rücken im großen Bett, und ich hole ihre Hefte aus den Ranzen und kontrolliere die Hausaufgaben. Das Geschirr ist gespült, die Socken sind gestopft. Ich habe kein Talent für die Hausarbeit, aber ich gebe mir Mühe. Ich gehe in die Küche und trinke ein Glas Leitungswasser. Es schmeckt salzig, weil meine Tränen hineintropfen. Dabei bin ich eine Frau wie Millionen andere und trotzdem so unglücklich, ich Dumme.

»Sag mir, was ich tun soll«, verlangt Petrow und reißt mich aus der Erinnerung. »Ich bin voller Tatendrang.« Zum Beweis hebt er seine dürren Ärmchen in die Höhe und ballt die knochigen Fäuste. »Sollen wir ihn verbrennen wie die Inder?«

»Woher hast du so viel Müll im Kopf?« Er schafft es, mich sofort aufzuheitern, aber ich lasse es mir nicht anmerken. »Niemand wird kommen, um ihn abzuholen. Wir müssen ihm eine Grube graben.«

»Wir sind nicht qualifiziert. Aber ich bin bei dir.« Er entfernt sich und kommt mit einem Spaten zurück, der verdächtig nach einem der Gavrilow'schen aussieht.

Wir warten ab, bis die Sonne nicht mehr so brennt, und legen los. Das heißt, Petrow beginnt zu graben. Er hat sich überschätzt. Nach jeder Schippe verschnauft er einige Sekunden, und nach fünf muss er sich für ein paar Minuten setzen. Aber er macht weiter. Er ist ein Mann, also habe ich ihm nichts zu sagen. Ich bringe ihm heißes Wasser mit Minze.

»Ich hätte lieber eine Cola mit Eiswürfeln«, stöhnt er, auf den Spaten gestützt.

»Kalte Chemie bei Hitze bringt einen um«, sage ich.

Zwischendurch lässt er sich ins Gras fallen, dann nehme ich die Schippe und ignoriere die schmerzenden Rippen. Ich bin überrascht, wie schwer sie ist. Dass ich schwächer sein soll als der wacklige Petrow, erschreckt mich, aber ich denke nicht länger darüber nach. Die fette rotbraune Erde türmt sich zu mickrigen Maulwurfshügeln auf.

»Du darfst nicht sagen, dass wir es nicht schaffen. Du musst an uns glauben«, sagt Petrow, aber ich ignoriere seinen Unsinn.

Über der Plane schwirren Fliegen. Die Zeit arbeitet gegen uns. Der Schweiß rinnt uns über die Gesichter, aber die Maulwurfshügel werden kaum größer. Ich setze mich neben Petrow und schließe die Augen.

Als ich sie wieder öffne, sehe ich Marja am Spaten.

Ich muss gleich sagen, sie ist ein ganz anderes Kaliber. Ich habe Marja noch nie arbeiten sehen. Da habe ich wirklich etwas verpasst. Ihr massiger weißer Körper stellt sich als stark heraus. Sie schaufelt wie ein Bagger und kommt dabei kaum außer Atem. Das müssen die ganzen Pillen sein, die sie täglich einwirft, oder ihre eiserne Gesundheit, die sie nicht einmal damit kaputt machen konnte.

Petrow und ich schauen wortlos zu. Marja guckt uns nicht an. Sie schaufelt konzentriert. Die Erde fliegt in unsere Gesichter. Sie hält nur kurz inne, um sich die Stirn abzutrocknen. Ihre runden Wangen sind gerötet, die blonden Zöpfe zerzaust. Sie könnte Solistin einer Volkstanzgruppe sein.

Vielleicht war sie es mal, wer weiß.

Als sie sich neben uns ins Gras fallen lässt, versucht Petrow wieder aufzustehen. Er schafft es nicht. Er reißt ein paar Witze darüber, dass sie das Grab auch gleich für ihn mitschaufeln könne, aber Marja ignoriert ihn. Sie streckt sich nach den saftigen Blättern der Klette, reißt sie mit einer präzisen Bewegung ab, legt sich eines auf die Stirn und zwei kleinere auf die Wangen.

Wenig später ist Sidorow an der Schaufel. Er guckt stolz zu mir rüber, fällt aber im nächsten Moment fast in die Grube. Marja nimmt ihm den Spaten weg. Er stützt sich auf seinen Stock und betrachtet sie mit einem Blick, der verrät, dass er die Hoffnung auf eine gute Partie noch nicht aufgegeben hat.

Marja zieht die Wolljacke aus. Ihre Oberarme sind rund und zittern wie Gelee. Das Fleisch ist so rosig, dass man hineinbeißen möchte. Gavrilow kommt und schaut schweigend zu. Marja lässt ihn gewähren. Zwischendrin zieht sie sich die Kniestrümpfe aus und die Schuhe wieder an. Sidorow wischt sich übers Gesicht. Gavrilow schluckt laut. Nur Petrow hält die Augen geschlossen.

Marja schippt mit einem Siegeslächeln. Sie steht inzwischen in der knietiefen Grube. Dann schüttelt sie den Kopf wie ein wildes Pferd und reicht den Spaten an Gavrilow weiter.

Gavrilow, den ich noch nie bei einer Tätigkeit gesehen habe, die nicht unmittelbar und ausschließlich ihm selbst nutzen würde, nimmt den Spaten. Seine Hand berührt kurz Marjas. Sie zeigt ihre Zähne, ihr Lachen klingt falsch in meinen Ohren. Dass sie jünger ist als ich, macht sie noch nicht zu einem jungen Hüpfer. Gavrilow scheint es nicht zu merken. Er beginnt unter Marjas Blick zu graben, wild und wütend wie ein Ameisenbär.

Sein rhythmisches Stöhnen ruft Gavrilowa auf den Plan. Ich fürchte, dass er dafür hinterher eins auf den

Deckel bekommt. Aber im Moment ist Gavrilow der König der Grube, und wir sind sein Publikum. Wir atmen im Gleichklang. Die Erdhügel wachsen.

Jegor kommt dazu. Ich will seine Aufmerksamkeit auf Marja lenken – er wusste immer, wann es bei einer Frau etwas zu gucken gab –, aber er fixiert mich wie ein Kater die Baldrianflasche. Andere Tote tauchen auf. Glaschas Vater ist nicht dabei; ich bin froh darüber. Sein Körper liegt unter der Plane, und sein Blut ist in unsere Erde geflossen.

Es wird dunkel, als Gavrilowa ein löchriges Bettlaken aus dem Haus holt, auf dem blasse unregelmäßige Flecken prangen. Ich ziehe die Plane weg. Ein Fliegenschwarm steigt auf. Marja wendet sich ab und übergibt sich in die Himbeeren.

Mit vereinten Kräften wickeln wir Glaschas Vater in das Laken, binden es an Kopf und Füßen zu und ziehen ihn zu der Grube. Wir schieben und zerren alle mit. Unsere Hände berühren sich in der Stille, die nur von schabenden Geräuschen und Atemzügen unterbrochen wird. Der Körper landet mit einem dumpfen Aufprall in seinem neuen Bett.

Das Zuschütten geht schneller, obwohl wir müde sind. Als alle weg sind, trete ich noch die Erde glatt. Meine Knochen fühlen sich vor Erschöpfung hohl an.

Nichts auf der Welt ist so furchtbar, wie jung zu sein. Als Kind geht es noch. Da gibt es, wenn du Glück hast, Menschen, die sich um dich kümmern. Aber ab sechzehn Jahren wird es herb. Du bist eigentlich immer noch ein Kind, doch alle sehen nur einen Erwachsenen in dir, den man leichter treten kann als einen, der älter und erfahrener ist. Niemand will dich mehr beschützen. Du bekommst ständig neue Aufgaben aufgehalst. Niemand fragt dich, ob du irgendetwas verstanden hast von dem, was du neuerdings zu tun hast.

Richtig schlimm wird es nach der Heirat. Plötzlich bist du nicht nur für dich, sondern auch für andere verantwortlich, und es werden immer mehr, die auf deinem Buckel mitfahren wollen. In deinem Herzen bist du aber noch das Kind, das du schon immer warst, und du bleibt es noch lange. Wenn du Glück hast, wirst du halbwegs erwachsen, wenn du alt bist. Dann erst bist du in der Lage, Mitleid für diejenigen zu empfinden, die jung sind. Vorher beneidest du sie, warum auch immer.

Das sind Dinge, die mir durch den Kopf gehen, wenn ich an Irina und Laura denke.

Ich will Irina einen Brief schreiben. Sie beschwert sich, ich schreibe zu wenig. Ich weiß, dass sie in Wirklichkeit nicht auf meine Briefe wartet. Aber sie will mir das Gefühl geben, dass sie sich für mich interessiert. Außerdem hat sie Angst, dass ich mich langweile, und ein langer Brief ist eine friedliche und sinnvolle Beschäftigung. Sie glaubt mir nicht, dass ich gar nicht weiß, wie Langeweile geht. Sie ist eine gute Tochter, und sie braucht von mir die Bestätigung, dass sie sich gut um mich kümmert. Seit sich Alexej ans andere Ende der Weltkugel verabschiedet hat, ist sie meine nächste Angehörige, auch geografisch gesehen. Sie muss mit einem permanenten schlechten Gewissen leben.

Also setze ich mich an den Küchentisch, hole mein kariertes Schulheft heraus und einen Kugelschreiber und beginne zu schreiben. Das neue Rosenpapier rühre ich nicht an, das ist für Laura. Irina macht sich nichts aus Rosen.

Meine liebe Tochter Irina, schreibe ich, *mein lieber Schwiegersohn Robert und meine einzige, geliebte Enkelin Laura. Es grüßt euch sehr herzlich aus dem Dorf Tschernowo bei Malyschi eure Baba Dunja. Wie geht es euch? Mir geht es gut, auch wenn ich merke, dass ich keine 82 mehr bin. Aber für mein hohes Lebensalter bin ich eigentlich sehr zufrieden. Besonders glücklich bin ich über die Trekkingsandalen, die du, Irina, mir aus Deutschland geschickt hast. Dass du immer so gut darin bist, die richtigen Größen für mich auszusuchen. Seit ich sie trage, tun meine Füße viel weniger weh.*

Ich war diese Woche in Malyschi und habe die neuen Briefe und Pakete abgeholt. Einen sehr herzlichen Dank euch allen. Besondere Wertschätzung genießen bei mir diesmal der Vanillezucker, den ich sparsam dosiere, und die Leselupe. Aber eigentlich bin ich mit meinen Augen noch recht zufrieden. Als ich so alt war wie du, Irina, dachte ich, dass ich bald erblinden werde. Noch ist es nicht passiert.

Das Wetter ist sommerlich, schon früh am Morgen haben wir 17, 18 Grad, und um die Mittagszeit steigt das Thermometer auf über 30 Grad. Das ist nicht immer leicht auszuhalten, zumal die Lufttemperatur am Abend nur auf 23 Grad abkühlt und erst am Morgen die besagten 17 Grad erreicht, die ich am angenehmsten finde.

Die Stimmung in Tschernowo ist sehr gut. Ich trinke oft Kaffee, den du, Irina, mitgeschickt hast, mit meiner nächsten Nachbarin Marja. Ich habe dir schon oft von ihr erzählt. Sie ist keine sehr kluge Frau, aber gutmütig. Sie ist jünger als ich.

Ich lehne mich zurück und denke nach. Ich fühle mich verpflichtet, Irina auch etwas von gestern zu erzählen, aber vorsichtig, damit sie sich nicht gleich aufregt.

Diese Woche hat sich etwas Sonderbares ereignet. Wir bekamen zwei neue Bewohner, die aber nicht bleiben konnten. Das Leben in Tschernowo ist sehr gut, es eignet sich jedoch nicht für jeden.

Ich möchte auch etwas zu Robert sagen. Ich habe Irinas Mann nie gesehen, möchte ihm aber meinen Respekt erweisen.

Ich weiß, dass ihr als Familie viel zu tun habt. Laura macht demnächst ihren Schulabschluss und wird bald achtzehn Jahre alt, und ihr, Irina und Robert, arbeitet sehr viel im Krankenhaus. Ich bin mir sicher, dass ihr bei eurer Arbeit viel für die Menschen tut und dass sie euch dankbar sind.

Irina hat nie viel über Robert erzählt. Das letzte Mal, dass sie mir ein Foto von ihm gezeigt hat, ist bestimmt schon zehn Jahre her. Darauf hatte er eine Halbglatze und eine große Nase. Aber ein Mann muss nicht schön sein. Jegor war schön, doch was hatte ich davon?

Irina, ich denke oft an deinen Vater. Er hatte seine Fehler, aber er war ein guter Mann.

Ich weiß, dass ihr euch manchmal Sorgen um mich macht. Das braucht ihr nicht. Ich komme sehr gut zurecht, und ich fühle mich wohl. Ich hoffe, dass ihr gut auf euch achtet.

Ich blättere um. Mein Kugelschreiber hat Abdrücke auf der neuen Seite hinterlassen. Ich habe schon viel geschrieben. Irina wird beruhigt sein.

Jetzt habe ich schon so viel geschrieben. Bitte entschuldigt, dass ich euch so viel von eurer Zeit wegnehme.

Es grüßt euch herzlich aus Tschernowo, eure Baba Dunja.

Der Brief muss zur Post. Aber ich schaffe es in den nächsten Tagen nicht noch einmal nach Malyschi. Ich muss mich ausruhen, zwei Wochen mindestens. Wenn man mich fragen würde – ich müsste in diesem Sommer überhaupt nicht mehr nach Malyschi. Ich möchte auf der Bank sitzen und den Wolken zugucken und ab und zu Marja ein Wort zuwerfen.

In Wirklichkeit setze ich mich selten hin. Und wenn, dann stehe ich gleich wieder auf, um das Haus zu fegen, die Vorleger auszuklopfen, die Töpfe mit Sand zu reinigen und den Teekessel vom Rost frei zu reiben. Das Unkraut sprießt grün und saftig, ich reiße es heraus, und wenn ich mich aus der Hocke aufrichte, wird mir schwarz vor Augen. Das macht mir keine Angst, ich warte einfach ab, bis sich die Sicht wieder klärt.

Der Schleier vor meinen Augen löst sich auf, und ich sehe das Gesicht eines ernsten Mädchens mit hellblonden Haaren. Meine geliebte Enkelin Laura, die ich nie getroffen habe und die mir einen Brief geschrieben hat, den ich nicht lesen kann.

Für einen Moment spüre ich Entsetzen. Ich denke, dass Laura als Geist zu mir nach Tschernowo gekommen ist. Aber es sind einfach nur die Hitze und meine alten Gefäße. Laura ist zu Hause in Deutschland. Sie ist in Sicherheit. Ich habe im Brief an Irina nicht erwähnt, dass auch Laura mir geschrieben hat. Eigentlich weiß ich überhaupt nichts über Laura. Die Dinge, die Irina mir schreibt, erzählen nichts darüber, wie ein Mensch wirklich ist. Laura ist in die erste Klasse gekommen, Laura ist in die fünfte versetzt worden, Laura wird dieses Jahr Abitur machen. Das sagt einem gar nichts.

Ich weiß nicht einmal, in welcher Sprache sie ihren Brief geschrieben hat und warum. Vielleicht braucht sie Hilfe, und ich kann nichts für sie tun. Das bricht mir das Herz.

Ihre Wahrheit, die ich nicht kenne, steht jetzt neben Irinas Wahrheit, die ich auch nur erahnen kann.

Daran, dass Irina eine gute Frau ist, glaube ich tief und fest. Sie trägt auf der Arbeit einen weißen Kittel. Auf der Brusttasche ist ihr Name eingestickt, der ein deutscher ist. Der Nachname ihres Mannes. Ich habe ein Foto von ihr in so einem Kittel, es hängt neben den Bildern von Laura.

Irina konkurriert mit Männern, die viel mehr Muskeln haben. Im Gegensatz zu mir ist sie Ärztin. Ich weiß, was das bedeutet. Meine Vorgesetzen waren Ärzte. Sie bestimmten über mich oder taten so, als ob, aber oft ließen sie mich gewähren, weil es ihnen viel Arbeit ersparte. Andere mischten sich in alles ein und wollten jeden Handgriff diktieren. Manche taten so, als wüssten sie alles. Einige tranken Schnaps im Untersuchungsraum oder schlossen sich in der Besenkammer mit einer Sanitäterin ein. Ich wusste es, aber ich habe nie etwas gesagt; in dieser Zeit machte ich meine eigene Arbeit und die des Arztes und der Sanitäterin mit, und es war gute Arbeit. Bei alldem musste ich aufpassen, dass ich den männlichen Stolz nicht verletzte.

Irina hat mir gesagt, dass sie diese Sorge nicht haben muss. Aber ich glaube ihr nicht.

Wenn Irina mich besucht, dann geht es nicht nur um mich. Eine alte Frau ist nicht Anlass genug für so eine Reise. Irina begleitet Gruppen kranker Kinder aus unserer Region nach Deutschland, verteilt sie auf Familien und lässt sie drei Wochen lang Urlaub machen bei guter Luft und ohne Strahlung. Sie untersucht sie in ihrem Krankenhaus und schickt Freiwillige mit ihnen in den Zoo und ins Schwimmbad. Das ist meine Tochter. Nach drei Wochen werden die Kinder zurückgeschickt, braun gebrannt und mit etwas mehr Speck auf den Rippen.

Ich hole Lauras Brief hervor und gucke mir die Wörter an, aber ich kann nicht einmal raten, was da steht.

Später mache ich einen Spaziergang durchs Dorf, um nach Petrow zu schauen. Ich habe zwei Gurken und drei Pfirsiche dabei. Die Gurken sind aus meinem Garten, die Pfirsiche habe ich auf einem verlassenen Grundstück gepflückt. Der Pfirsichbaum steht krumm und knorrig da, gebeugt unter der Last der Früchte. Es ist überhaupt ein fruchtbares Jahr: Aprikosen, Kirschen, Äpfel – alle Bäume tragen so viel wie sonst nie.

Ich denke an die Laboranten, die ins Dorf marschierten und Proben von unserer Ernte nehmen wollten. Sidorow gab ihnen stolz seine Monsterzucchini, Lenotschka reichte die Hühnereier über den Zaun, Marja brüllte spöttisch »Na klar, ich werde jetzt gleich aufstehen und für euch meine Ziege melken, sonst noch was?«, und ich ließ die vermummten Gestalten schulterzuckend auf mein Grundstück, sie sollten sich zusammensuchen, was sie wollten. Schließlich mussten sie ihre Arbeit tun. Beim ersten Mal öffnete ich für sie ein Glas eingelegter Pilze, weil ich sie wie Gäste behandeln wollte. Sie gabelten einen Pilz auf und steckten ihn in ein Gefäß mit Schraubdeckel. Meine Tomaten fassten sie mit Gummihandschuhen an. Bei den nächsten Malen ließ ich mein Eingemachtes im Regal.

Am Quietschen der Hängematte erkenne ich, dass Petrow noch auf unserer Seite ist. Er liegt da wie eine große Heuschrecke, seine dunklen, hervortretenden Augen schauen mir entgegen. Ich trete näher heran und lege ihm das Obst in den Schoß.

Er winkt mit einem Buch, das er in der Hand hält. »Hast du je in deinem Leben Castaneda gelesen, Baba Dunja?«

»Nein.« Ich setze mich auf einen Stuhl mit abgesägter Lehne, den er in den Hof gestellt hat, und falte die Hände.

»Du hast es überhaupt nicht so mit Lektüre, nicht wahr?«

»Wie bitte?«

»Du hast wohl nie viel gelesen, wollte ich wissen«, brüllt er, dabei kann ich ihn sehr gut hören.

»Bei uns zu Hause gab es keine Bücher. Zeitschriften vielleicht. Und Nachschlagewerke, für die Arbeit. Lehrbücher während meiner Ausbildung. Die habe ich alle Irina geschickt, als sie angefangen hat, Medizin zu studieren.«

»Alle? Hast du keine mehr da?«

»Nein, alle weg.«

»Und wenn du hier etwas nachschlagen musst?«

»Ich muss nichts mehr nachschlagen. Was ich brauche, weiß ich auch so.«

»Komisch. Mir geht es umgekehrt.« Er wirft das Buch nachlässig auf die Erde. »Und es wird dir ohne Bücher nie langweilig?«

»Mir wird nicht langweilig. Ich habe immer Arbeit.«

»Du bist ein Wunder, Baba Dunja.«

Ich sage nichts dazu.

»Hast du schon mal was vom Internet gehört?«

»Ich habe davon gehört.« Das habe ich in der Tat. »Aber es nie gesehen.«

»Wo auch. Wir leben hier in der Steinzeit. Dafür gibt es ein Geistertelefon, das einmal im Jahr funktioniert, und keiner kann erklären, wieso.«

»Man kann nicht alles im Leben erklären.«

»Bei jedem anderen wäre das ein unerträglich banaler Satz.«

So spricht Petrow eben. Er ist ein Mann, der Bücher braucht wie ein Alkoholiker den Schnaps. Wenn er nicht genug zu lesen hat, wird er unausstehlich. Und er hat nie genug. Tschernowo hat keine Nationalbibliothek, und er hat hier schon alles verschlungen bis zu den Gebrauchsanweisungen, die älter sind als er.

»Ob das Telefon funktioniert, wenn ich mal so weit bin? Oder wird Marja auch für mich ein Loch schaufeln?«

»Das werden wir dann sehen.«

»Du bist durch gar nichts zu erschüttern, nicht wahr, Baba Dunja?«

Ich antworte nicht. Lauras Brief brennt auf meiner Haut. Eine wunde Stelle habe ich davon. Petrow schaut mich aufmerksam an.

»Du erzählst manchmal von deiner Tochter, warum eigentlich nie von deinem Sohn?«

»Der ist noch weiter weg. In Amerika.«

»Amerika ist groß. Wo genau?«

»An der Ozeanküste. Dort ist es warm, und es wachsen Orangen.«

»Florida? Oder Kalifornien?«

»Ich weiß es nicht.«

»Warum schreibt er dir nie?«

»Er schickt immer eine Karte zu Weihnachten. Zum amerikanischen Weihnachten. Er mag keine Frauen.«

Petrow braucht nur eine halbe Sekunde, um das zu verdauen.

»Und deswegen hast du ihn verstoßen?«

»Ich habe niemanden verstoßen. Aber es ist gut, dass er nicht mehr hier ist.«

»Vermisst du ihn?« Er guckt mich forschend an.

Ich senke den Blick auf die Erde. Auf Petrows Grundstück ist der Boden sandiger als anderswo. Er schluckt viel Wasser. Petrows Stimme ist wie ein Rauschen im Wind. Er erzählt, wo er schon überall gewesen ist. Dass er auch mal in Amerika gelebt hat, in New York und Kalifornien. Dass er die Welt bereist hat. Dass es Menschen gibt, die nicht nur kein Fleisch essen, sondern auch keine Milch und keine Eier, und sich keine Lederschuhe kaufen wegen der Tiere. Das sind Dinge, die immer wieder aus ihm herausmüssen und die ich schon kenne. Er redet wie ein kaputter Radioempfänger. Aber er ist noch da, und er beißt die Hälfte der Gurke ab, die ich ihm mitgebracht habe.

»Dann kannst du also Englisch, Petrow.«

»Natürlich kann ich Englisch.«

Lauras Brief pocht unter meinem Ärmel.

»Und kannst du auch andere Sprachen?«

»Kann ich auch.«

Es wäre so einfach, ihn zu fragen. Es ist nicht so, dass ich etwas gegen Petrow hätte. Ich vertraue ihm nur nicht und auch sonst niemandem.

»Was denkst du?«, fragt er und greift nach dem Pfirsich.

»Ich denke, dass du ganz anders bist als ich.«

»Wenn du irgendwann nicht mehr da bist, Baba Dunja, wird Tschernowo verschwinden.«

»Das glaube ich nicht.«

Er spuckt den Pfirsichkern aus und folgt dessen Flug mit den Augen.

»Glaubst du, dass daraus ein neuer Pfirsichbaum wächst?«

»Nein. Die Pfirsiche vermehren sich eher mit Stecklingen.«

»Ich meine, wird diese Gegend irgendwann vergessen, was man ihr angetan hat? In hundert, zweihundert Jahren? Werden hier Menschen leben und glücklich und sorglos sein? Wie früher?«

»Was weißt du überhaupt darüber, wie es früher hier war?«

Kann sein, dass er gerade etwas beleidigt schaut. Er ist der Einzige hier, der so spricht, und ich finde es nicht richtig. Das ist ein Text aus Zeitungen und hat mit uns in Tschernowo nichts zu tun.

»Danke für die Gurken und den Pfirsich«, ruft er mir nach, als ich mich verabschiedet habe.

Ich stelle fest, dass ich für den Gang über die Hauptstraße einige Minuten länger brauche als sonst. Als ich am Garten mit der Grube vorbeigehe, sehe ich, dass jemand die zugeschüttete Stelle mit Rosenblättern bestreut hat.

Der Kummer überfällt mich ohne Vorwarnung und wie stets zur Unzeit. Die Sorgen verdichten sich hinter meiner Stirn, und ich kann nicht mehr klar denken. Es sind Momente, die mich zurückholen in ein Leben, das ich nicht mehr habe. Ein Gespräch mit Petrow ist als Auslöser immer gut. Er stellt Fragen, die ins Herz zielen und auf die man keine Antwort hat.

Im ersten Jahr in Tschernowo wurden mir viele Fragen gestellt. Die schwierigsten kamen von Irina. Die sinnlosesten von den Reportern. Sie folgten mir auf Schritt und Tritt, wie Astronauten verpackt in ihre Strahlenschutzanzüge. Baba Dunja, riefen sie durcheinander, welches Zeichen wollen Sie damit setzen? Wie wollen Sie dort überleben, wo kein Leben mehr sein kann? Würden Sie es zulassen, dass Ihre Familie Sie besucht? Wie sind Ihre Blutwerte? Haben Sie Ihre Schilddrüse checken lassen? Wen lassen Sie in Ihr Dorf einziehen?

Ich weiß nicht, ob sie jemals verstanden haben, dass

es nicht mein Dorf ist. Ich habe versucht, mit ihnen zu reden, habe ihnen mein Haus und den Garten gezeigt, die anderen Häuser, die damals leer standen. Auch das war ein Fehler, ich hätte mich von den Kameras abwenden und ihnen die Tür vor der Nase zuschlagen sollen. Aber ich bin eben anders erzogen worden, und das wiegt stärker als jahrzehntelange Berufserfahrung als medizinische Hilfsschwester.

»Du hättest ihnen nicht sagen sollen, dass du dieses Land liebst«, hat mich Petrow später belehrt. »Das legen sie als Provokation aus, als gezielte Verharmlosung des Reaktorunglücks. Sie werden dich dafür hassen, dass du dich instrumentalisieren lässt.«

»Ja, hätte ich ihnen denn sagen sollen, dass es mir in Wahrheit egal ist, ob ich einen Tag früher oder später sterbe?«

»Vielleicht hättest du das«, sagte Petrow.

Lauras Brief brennt wütend auf meiner Seele. Es ist zu viel für mich allein. Ich muss einen Weg finden, ihn zu lesen.

Am nächsten Morgen sitze ich auf der Bank vor meinem Haus, mit schweren Füßen und schwerem Kopf. Die Katze schleicht um mich herum. Sie nimmt beständig zu, immer wieder beobachte ich, wie sie Spinnen fängt und genüsslich deren Netze zerstört. Man darf nicht denken, dass die Tiere besser wären als wir Menschen. Die Katze springt auf meine Schulter und leckt mit ihrer rauen Zunge über mein Ohr.

»Du gefällst mir heute nicht«, sagt Marja. Ich habe sie nicht kommen hören. Sie steht da mit ihrem großen

Körper, den breiten Füßen in den ausgelatschten Pantoffeln, dem goldenen zerzausten Haar. Sie trägt ihren speckigen Bademantel und darunter ein von vielen Wäschen ergrautes Negligé.

»Warum ziehst du dich nicht an?«, frage ich streng.

»Ich bin angezogen.«

»Hier leben doch auch andere Leute. Männer. Du solltest nicht so rumlaufen.«

»Meinst du, Gavrilow könnte mich vergewaltigen? Rück mal.« Sie schiebt mich mit ihrem gewaltigen Hinterteil ans Ende der Bank.

»Sidorow hat um meine Hand angehalten«, sagt sie, ohne mich anzusehen.

»Herzlichen Glückwunsch.«

»Ich habe gesagt, ich muss nachdenken.«

»Warum einen anständigen Mann hinhalten?«

»So etwas soll man nicht leichtfertig beschließen.«

Ich nicke und richte mir das Kopftuch. Ihr heißer Körper sorgt dafür, dass auf meiner rechten Seite der Schweiß zu rinnen beginnt.

»Ich bin schon eine Weile ohne Mann«, fährt Marja fort und schaut mich von der Seite an, als würde sie auf eine Reaktion warten.

»Wenn du einen Mann hast, bist du nicht weniger einsam. Und außerdem musst du dich dann auch noch um ihn kümmern.«

Sie pfeift durch die Zähne wie ein Schuljunge. »Bist du mir böse, wenn ich Ja sage?«

Meine Rippen tun immer noch so weh, dass ich mich nicht zu ihr hindrehen kann. »Warum sollte ich dir böse sein? Ich freue mich für dich.«

»Ach, ich weiß auch nicht.« Sie greift nach dem Saum ihres verwaschenen Nachthemds und putzt sich die Nase. »Gründe gäbe es genug, um auf mich böse zu sein.«

»Ganz im Gegenteil. Er ist ein sehr alter Mann, aber im Herzen edel. Du bist eine schöne Frau. Ihr seid ein gutes Paar.«

Aus dem Augenwinkel sehe ich, wie sie errötet.

In dieser Nacht träume ich davon, dass meine Katze den toten Hahn Konstantin heiratet.

Neuigkeiten verbreiten sich schnell, in einem Dorf sowieso. Bei uns braucht man eine Sache nur zu denken, und schon weiß der Nachbar Bescheid. Als Erstes steht Sidorow an meiner Schwelle.

»Ich gratuliere dir«, sage ich vorsichtig, denn irgendetwas in mir weigert sich noch, an diese Entwicklung zu glauben.

»Ich danke dir.« Er versucht, meine Hand zu küssen, aber ich entreiße sie ihm und sage, er solle sich seine Galanterie für seine Verlobte aufheben.

Er beginnt eine lange Rede, kommt durcheinander, bricht verwirrt ab und beginnt von vorn. Ich lausche angestrengt. Irgendwann begreife ich, dass er sich Sorgen um die Erfüllung ehelicher Pflichten macht.

»Das hättest du dir eher überlegen sollen«, sage ich gnadenlos. Er blinzelt. Er könnte einem fast leidtun, aber alte Männer, die sich jüngere Frauen nehmen, sollen sich vorher überlegen, worauf sie sich einlassen.

»Ich wollte ja auch dich«, bricht es aus ihm hervor,

aber ich will darüber nicht reden, das käme mir Marja gegenüber unanständig vor.

Er geht wieder, den Rücken gebeugter als sonst. Ich wette, sein Hasenherz galoppiert wie wild.

Als Nächste kommt, Überraschung, Gavrilowa. Sie setzt sich auf meinen Hocker und sagt, sie hätte da etwas gehört. Ihre Art, um den heißen Brei herumzureden, strengt mich an.

»Richtig gehört«, sage ich. »Wir in Tschernowo werden bald Hochzeit feiern.«

»Aber ist das nicht irgendwie unmoralisch?«

»Die Brautleute sind volljährig.«

»Es ist exakt die Altersfrage, auf die ich hinauswill.«

»Die Verfassung verbietet es einem nicht, nach einem bestimmten Alter die Ehe einzugehen.«

»Aber wo werden sie wohnen?«

»Warum fragen Sie mich das, Lydia Iljinitschna? Ich bin nicht die Schwiegermutter. Die Verlobten haben ausreichend Quadratmeter Wohnfläche zur Verfügung.«

Plötzlich lacht Gavrilowa schallend los, und die Strenge weicht aus ihrem Gesicht.

»Ach, mir soll es recht sein. Dann ist sie aus dem Weg.«

Ich gucke sie an. Marjas lüsterne Worte über eine Gavrilow'sche Vergewaltigung kommen mir in den Sinn. Marja ist keine Frau, die Wert darauf legt, zart angefasst zu werden. Und Gavrilowa ist alles, nur nicht dumm. Vielleicht kann sie sogar Deutsch.

»Hilf ihm Gott«, sagt sie und grinst schadenfroh.

Wenig später kommt Petrow und trägt, noch bevor

er das Haus betritt, ein Liebesgedicht vor. Und dann noch eins. Beim dritten habe ich genug.

»Was willst du?«

»Wir feiern eine Hochzeit, und wenn es so weitergeht, kriegen wir noch Nachwuchs.«

»Dann würde aber wirklich der Himmel auf die Erde stürzen.«

»Ist das alles nicht wunderbar, Baba Dunja?«

Ich antworte mit einem Blick, unter dem er zusammenschrumpft. Ich weiß nicht, welche seiner Launen mich mehr anstrengt.

»Okay«, sagt er. »Du findest es nicht wunderbar. Du bist eifersüchtig.«

»Ich nicht«, sage ich. »Aber manche in Tschernowo können jetzt ruhiger schlafen.«

Petrow muss sich setzen, weil ihn die Kräfte verlassen. Die Haut in seinem Gesicht ist wächsern und klebt an seinem Schädel. Es sieht aus, als würde sie reißen, wenn Petrow zu breit lächelt.

»Du musst was essen«, sage ich. »Sonst verlierst du zu früh an Kraft.«

»In Indien soll es einen geben, der sich nur von Sonnenstrahlen ernährt.«

Petrow steht auf. Dann macht er ein paar Schritte und fällt auf mein Bett. Eigentlich bin ich nicht erfreut darüber, dass mein Bett jetzt kommunales Eigentum ist, auf dem alle ohne zu fragen Platz nehmen, die zufällig gerade vorbeikommen. Aber wenn ich Petrow verjage, fällt er direkt auf den Boden. Man hat ihm ziemlich viele Organe rausgenommen, es ist ein Wunder, dass er überhaupt noch für so viel Unruhe sorgen kann.

»Bei der Hochzeit muss ich bestimmt weinen«, ruft er mir von meinem Bett aus nach, als ich das Haus verlasse. »Ich werde jeden Tag sentimentaler, merkst du das?«

Was ich in Tschernowo niemals gegen fließend Wasser und eine Telefonleitung eintauschen würde, ist die Sache mit der Zeit. Bei uns gibt es keine Zeit. Es gibt keine Fristen und keine Termine. Im Grunde sind unsere täglichen Abläufe eine Art Spiel. Wir stellen nach, was Menschen normalerweise tun. Von uns erwartet niemand etwas. Wir müssen weder morgens aufstehen noch abends ins Bett gehen. Wir könnten es auch genau umgekehrt machen. Wir spielen den Tag nach, wie Kinder mit Puppen und Kaufmannsladen das Leben nachspielen.

Zwischendrin vergessen wir, dass es noch die andere Welt gibt, in der die Uhren schneller gehen und wo alle schreckliche Angst vor dieser Erde haben, die uns ernährt. Diese Angst sitzt tief in den anderen Menschen, und die Begegnung mit uns bringt sie an die Oberfläche.

Vor siebzehneinhalb Jahren habe ich Irinas deutsche Nummer gewählt, die mit der Länder- und der Städtevorwahl sehr lang war. Sie war in den Monaten davor telefonisch nicht erreichbar gewesen. Sie hatte mir auch nichts geschrieben. Ich hatte geahnt, dass es irgendetwas zu bedeuten hatte, nur wusste ich nicht genau, was. Ich wohnte damals noch in Malyschi, kaufte mir regelmäßig einen Gesprächsgutschein für fünf Minuten, reihte mich in die Schlange vor den internationalen Telefonkabinen ein, ließ mich verbinden und hörte die deutsche Ansage auf dem Anrufbeantworter. Ich legte immer gleich auf, im festen Glauben daran, dass Irina irgendwann ans Telefon gehen würde. Wenn etwas wirklich Schlimmes passiert wäre, hätte ich es schon erfahren. Dafür hätte sie gesorgt.

Und eines Tages nahm sie tatsächlich den Hörer ab und sagte: »Mutter, es ist gut, dass du anrufst. Ich möchte dir etwas mitteilen. Du hast eine Enkelin. Sie ist elf Tage alt und gesund. Ihr Name ist Laura.«

Und ich fragte: »Bist du dir sicher?«

»Natürlich bin ich mir sicher, ich habe sie so genannt.«

»Ich meine nicht den Namen.«

»Man kann nie sicher sein. Aber ich habe die Finger und Zehen gezählt.« Sie lachte.

Im Hintergrund ertönte ein Schrei. Er klang nach einem Kätzchen, dem der Schwanz eingeklemmt wurde.

»Das ist ein großes Glück«, sagte ich. »Geh zu deiner Tochter. Ich rufe dich ein andermal wieder an.«

Ich ließ das Telefonieren dann eine ganze Weile sein. Ich wusste, wenn man zum ersten Mal ein Baby hat, dann hat man nicht viel Zeit zum Reden. Ich schickte Irina einen Brief, in dem ich mich daran erinnerte, wie sie selbst als Baby gewesen war, und begann Geld zu sparen. Irina schrieb zurück: *Verzeih mir, Mutter, dass ich dir nicht vorab von der Schwangerschaft berichtet habe. Ich wollte erst die Geburt abwarten.*

Dazu legte sie ein Foto von einem Säugling mit einem riesigen Schnuller im Mund.

Ich wusste genau, was sie meinte.

Als Laura drei Jahre alt wurde, kam Irina zum ersten Mal, um die kranken Kinder nach Deutschland zu holen. Sie hatte Laura nicht dabei.

Ich habe sie kein einziges Mal gefragt, wann ich meine Enkelin sehen kann. Ich habe sie nicht gefragt, warum sie Laura nie mitnimmt in ihr altes Heimatland. Ich kenne die Antworten. Ich möchte nicht, dass Irina sich deswegen schlecht fühlt. Sie hat mich schon einige Male nach Deutschland eingeladen, hat vorgeschlagen, mich abzuholen und zurückzubringen. Es klang so leicht aus ihrem Mund. Ich dagegen habe keine Erfahrungen mit Reisen. Ich bin mein Leben lang nicht über Malyschi hinausgekommen.

Ich bereue nur, dass ich Irinas Einladung nicht angenommen habe. Als Laura noch kleiner war, habe ich mich nicht getraut. Ich wollte Irinas Familie nicht zur Last fallen. Jetzt bin ich zu alt. Der Weg zur Bushaltestelle, die Busfahrt, dann mit dem anderen Bus zum Flughafen, der Flug, die Fahrt zu Irina, das werde ich wohl nicht mehr schaffen.

Außerdem weiß ich, dass ich genauso strahle wie unsere Erde und alles, was sie hervorbringt. Kurz nach dem Reaktor nahm ich, wie viele andere, an Untersuchungen teil – ging in Malyschi ins Krankenhaus, setzte mich auf einen Stuhl, sagte meinen Namen und mein Geburtsjahr, während der Zähler neben mir ratterte und eine medizinische Assistentin die Werte in ihr Heft notierte. Der Biologe erklärte mir später, dass das Zeug in meinen Knochen stecke und in die Umgebung strahle, sodass ich selbst wie ein kleiner Reaktor sei.

Auch die Erdbeeren und Heidelbeeren aus unseren Wäldern strahlen, die Steinpilze und die Birkenpilze, die wir im Herbst sammeln, das Fleisch der Hasen und Rehe, die Gavrilow manchmal schießt. Nichts davon rühren Menschen an, die von außen kommen, sie würden es höchstens für ihre Untersuchungen mitnehmen, aber dazu ist es uns zu schade.

Manchmal denke ich, dass ich mein langes Leben der guten Luft und dem Birkensaft verdanke, den ich jedes Jahr im Frühjahr frisch gezapft trinke. Ich gehe mit mehreren sauberen Einmachgläsern in den Wald und nehme mir Zeit, Birken zu finden, die stark und willens scheinen, mir etwas von ihrem Saft abzugeben. Ich finde es barbarisch, einen Baum immer wieder zu verletzen und ihm zu viel Saft auf einmal abzuzapfen, wie das manche in Gegenden machen, die einen besseren Ruf genießen als die unsere. Birkensaft lässt sich teuer verkaufen, und um die vernarbten, ausgetrockneten Bäume schert sich kein Mensch. Ich dagegen bohre die Rinde vorsichtig an und schiebe ein Röhrchen hinein, halte das Glas darunter und binde es fest. Tröpfchenweise rinnt das Elixier hinein, und wenn ich es Tage später abhole, verbinde ich die verletzte Stelle mit der gleichen Sorgfalt, wie ich es immer bei meinen Patienten getan habe.

Ich habe auch Irina und Alexej beigebracht: Macht nichts kaputt, wenn es nicht nötig ist. Es ist schwer, die Dinge zu reparieren, und manches ist für immer verloren. Die Dorfkinder hatten eher ein Gefühl dafür als die Ferienkinder, die im Sommer aus der Stadt kamen. Und ich habe mehr als einmal gesehen, wie Irina ihnen auf die Hände klatschte, wenn sie ungeduldig unreife Beeren pflückten oder einen Pilz rücksichtslos aus dem Boden drehten, um ihn dann gleich wegzuwerfen.

Ich biete den wertvollen Birkensaft nur Gästen an, die mir besonders wichtig sind. Den Biologen hatte ich ins Herz geschlossen und ihm ein Glas mit der durchsichtigen Flüssigkeit gereicht.

»Wollen Sie mich umbringen?« Er schüttelte lachend den Kopf.

Ich liebe dieses Land, doch manchmal bin ich froh, dass meine Kinder nicht mehr hier sind.

Ich klopfe an Marjas Tür, eine Geste, die sie sich bei mir konsequent spart, weil sie irrtümlicherweise der Meinung ist, ich hätte nichts zu verbergen.

Sie brüllt, ich solle reinkommen. Sie sitzt auf ihrem Bett, das lange Haar gelöst, und kämmt es mit einem grobzinkigen Kamm wie eine überreife Rapunzel.

»Na, Braut«, sage ich. »Bist du aufgeregt?«

»Ich war noch nie eine Braut«, jammert sie.

»Ich dachte, du warst schon mal verheiratet?«

»Ach«, winkt sie ab, »das zählt nicht. Das ist hundert Jahre her. Ich weiß nicht, was ich anziehen soll.«

»Was macht ihr eigentlich mit euren Häusern?«

»Was sollen wir damit machen? Jeder behält seins.«

»Ihr schlaft nicht zusammen?«

»Furunkel auf deine Zunge.«

»Wofür heiratet ihr dann?« Ich setze mich neben sie. Die Matratze ist sehr weich und hängt unter unserem Gewicht bedrohlich durch. Marja juchzt und krallt sich an mir fest. Auf ihrem Bett haben wir noch nie zusammengesessen, nur auf meinem, und das hält mehr aus.

»Lass mich los«, schnaufe ich, »was ist in dich gefahren, dummes Weib, lass mich los und hilf mir aufzustehen.«

»Das versuche ich doch«, jammert sie, aber bei jeder Bewegung werden wir von der durchhängenden Matratze nur noch näher aneinandergedrückt.

Dass es kracht, erlebe ich fast als Erlösung. Das Bett stürzt ein, und Marja und ich landen zwischen den Decken auf dem Boden. Ich krabbele aus dem Deckenberg hervor, halte mich an der Wand fest und richte mich auf.

Marja sitzt zwischen den Kissen und heult.

»Jetzt hab ich kein Bett mehr.«

»Aber du hast einen Mann, der baut dir ein neues.«

»Der? Hast du den nicht gesehen?«

»Fordere es ein, bevor du ihm das Jawort gibst.«

Sie fährt sich mit der Hand übers Gesicht. »Du hast immer so gute Ideen. Ohne dich gäbe es uns alle nicht mehr.«

»Jetzt fang du nicht auch noch an.«

Marja guckt mich traurig an. »Ich will, dass du uns traust.«

Als ich vorhin das mit der Zeit erwähnt habe, wollte ich auf eines hinaus: dass ich, kaum dass ich mich versehe, auf einer Wiese stehe, neben mir ein langer, gedeckter Tisch und vor mir eine üppige Frau und ein Greis, der eher einem verdorrten Baum ähnelt als einem Menschen.

Hinter mir stehen die Dorfbewohner. Nur Petrow sitzt, weil er zu schwach ist. Die anderen sind auf den Beinen. Zwischen den Lebenden tummeln sich die Toten, die ziemlich neugierig sind. Jegor ist direkt hinter mir und guckt mir über die Schulter.

Sidorow hat Marja ein Bett gebaut, ein unglaubliches Bett. Kein Mensch kann sagen, wie es ihm gelungen ist. Er hat einen Baumstamm in vier Stücke gesägt und darauf Bretter gelegt, die er aus der Wand seines Schuppens herausgerissen hat. Alles mit vielen Nägeln gesichert. Darauf kamen Marjas Matratzen, Kissen und Decken. Es ist ein riesiges, breites Bett, das größte, das ich je gesehen habe. Jetzt kann Marja gut schlafen. Das hat sie mir versichert, als sie es mir stolz vorführte.

»Siehst du, wozu eine Ehe gut ist?« Ihr Ton war angeberisch.

»Ich habe es nie bestritten.«

»Warum lachst du dann so?«

»Ich lache nicht, Marja. Ich freue mich für dich.«

Marja trägt zur Trauung ihr Spitzennachthemd, das fast weiß ist und ihren Körper noch mächtiger erscheinen lässt. Auf den Schultern ein schwarzes Tuch mit Rosen. Das Haar hat sie geflochten und den Zopf um den Kopf gelegt, sodass sie gleich fürs Parlament kandidieren könnte. Ein Spitzenvorhang dient als Schleier. Und Blumen, überall sind Blumen. Kornblumen im

Haar und Bartnelken auf dem Nachthemd und eine Heckenrose in Sidorows Knopfloch.

Sidorows Knie zittern, und er sieht noch kleiner aus als sonst, mit letzter Kraft auf seinen Stock gestützt. An den Händen treten die Knöchel weiß hervor. Aber seine Gesichtszüge werden von einem Siegesgrinsen verzerrt. Man könnte es auch mit dem Ausdruck eines Todeskrampfes verwechseln. Er hat sich gut gekleidet, eine mottenzerfressene graue Nadelstreifenhose und ein Hemd in buntem Zickzackmuster.

Das Brautpaar steht vor mir und sieht mich erwartungsvoll an. Jetzt liegt es an mir, etwas Feierliches zu sagen. Auch ich habe mich fein gemacht, um den beiden die Ehre zu erweisen, ich trage einen langen Rock und eine Seidenbluse, das Tuch um meinen Kopf ist frisch gewaschen, und meinen Hals ziert eine Kette aus großen bunten Holzperlen.

Meine Tätowierung juckt wieder. Ich versuche mich zu erinnern, welche Worte die Standesbeamtin bei meiner Hochzeit mit Jegor gesprochen hat. Aber sie fallen mir nicht ein. Dann denke ich an die Hochzeiten, bei denen ich schon gewesen bin, als Gast oder Trauzeugin. Ich muss daran denken, dass ich nicht bei Irinas Hochzeit war.

Die Hochzeit meiner Cousine fällt mir ein, ich muss Mitte vierzig gewesen sein, und ein Satz traf mich ins Herz. »Seid gut zueinander«, hatte die übermüdete Standesbeamtin meiner Cousine und ihrem künftigen Mann mit auf den Weg gegeben, nicht mehr und nicht weniger; auf dem Standesamt warteten an jenem Samstag etliche Paare, und viele Schwiegermütter wurden auf den Fluren bereits aggressiv. Mich haben diese Worte lange nicht losgelassen. Dabei war ich damals schon eine Weile verheiratet und Mutter.

Viel später sah ich im Fernsehen, wie Brautleute in einer Kirche heirateten, ja sogar eine Königshochzeit sah ich. Inzwischen heiraten auch bei uns im Land viele junge Leute in der Kirche. Zu unserer Zeit hätte man sich danach nicht mehr auf die Arbeit getraut.

»Gebt mir eure Hände«, sage ich, und sie strecken mir bereitwillig ihre Pranken hin, die weiche, dralle von Marja und die von Sidorow, trocken wie eine Vogelkralle. Ich nehme sie und lege sie aufeinander. Marja hat zwei Ringe spendiert, die sie aus ihrem Fundus hervorgekramt hat.

Ich ordne sie den Brautleuten zu. Sidorow schiebt Marja den dicken Ring mit glänzendem Stein über den Finger, der Finger ist zu breit, Marja beißt die Zähne zusammen. Geschafft. Als Nächstes bekommt Sidorow einen, der Finger ist zu knochig, und der schmale Ring baumelt daran. Sidorow ballt eine Faust, damit er nicht runterfällt.

»Seid gut zueinander«, sage ich. Marja schaut mich aus aufgerissenen Augen an, als hielte ich die Bergpredigt. »Ihr seid jetzt Mann und Frau.«

Ich spüre Marjas rasenden Puls. Bei Sidorow spüre ich gar nichts, seine Haut ist kalt und trocken. Wieder liegt diese Erwartung in der Luft.

»Kannst du dich erinnern?«, flüstere ich Jegor zu. »Kannst du dich erinnern, was man jetzt macht?«

»Segne sie«, raunt er mir ins Ohr. »Und den Kuss nicht vergessen.«

Das kann nicht sein Ernst sein, denke ich, es sind alte Leute, und ich habe Anstand. Aber sie schauen immer noch, als ob sie auf etwas Bestimmtes warten, und ich atme laut aus.

»Ich beglückwünsche, und ich … segne euch«, sage ich, und Marjas Augen beginnen zu leuchten. »Und, wenn ihr unbedingt wollt … ich möchte sagen … Sidorow, du darfst jetzt die Braut küssen.«

Wir haben noch nie etwas zusammen als Dorfgemeinschaft gemacht. Selbst eingezogen sind wir einzeln; zuerst ich, dann kamen die anderen. Ich habe sie begrüßt, ihnen die Häuser gezeigt und von meiner Tomatensaat abgegeben. Doch eine Gemeinschaft waren wir nicht; jeder freute sich, in Ruhe gelassen zu werden. Wir haben keine Übung darin, an einem Tisch zusammenzusitzen. Jetzt tun wir es.

Eine große Tafel ist in Marjas Garten aufgebaut und mit mehreren Bettlaken bedeckt. Lenotschka hat Rosenblüten daraufgestreut. Wir haben Geschirr aus dem ganzen Dorf zusammengetragen. In der Mitte des Tisches stehen: ein dampfender Teekessel, in dem Pfefferminzblätter schwimmen. Ein Teller mit frischen Gurken und ein Teller mit eingelegten. Tomaten, in Scheiben geschnitten. Büschelweise Kräuter. Hart gekochte Eier. Ein Grießkuchen mit Kirschen, den ich gebacken habe. Zwei gebratene Hühner, die Lenotschka geopfert hat und die alle anschauen, als hätten wir Hungersnot. Und einige Flaschen mit Beerenwein aus Sidorows Schuppen.

Man kann nicht behaupten, dass die Stimmung ausgelassen wäre. Aber es ist eine Stimmung da. Marja hat den Vorhang von ihren Haaren genommen, die Blüten hängen noch in den Strähnen. Ihre Wangen sind gerötet, vor Hitze, Wein und Verlegenheit. Entgegen ihrer Gewohnheit redet sie wenig. Sie schaut mal den einen, mal den anderen an, zwischendrin ruht ihr Blick länger auf mir, als wollte sie mir eine Nachricht senden.

Sidorow hat mit Gavrilow die Köpfe zusammengesteckt. Jede Wette, dass sie dreckige Witze reißen. Gavrilowa macht ein böses Gesicht, bricht aber immer wieder in prustendes Lachen aus. Petrow ist ungewöhnlich still und starrt ohne Unterlass Lenotschka an, als hätte er sie noch nie gesehen. Dann bewegen sie sich aufeinander zu.

Der tote Hahn Konstantin springt auf Marjas Schoß, und sie merkt es nicht einmal. Konstantin pickt sie in den drallen Oberarm. Die Ziege kaut von der anderen Seite an ihrem Nachthemd.

Ich schaue nach, ob die Gläser noch gefüllt sind, ob alle etwas auf den Tellern haben. Und ich habe das Gefühl, dass uns jemand zuschaut. Wenn ich gläubig wäre, würde ich sagen, es sei Gott. Aber Gott wurde in unserem Land abgeschafft, als ich klein war, und es ist mir nicht gelungen, ihn wieder anzuschaffen. In meinem Elternhaus gab es keine Ikonen, und es wurde nicht gebetet. Ich habe mich nicht, wie viele andere, in den Neunzigerjahren taufen lassen, weil ich es albern fand, als erwachsener Mensch in einen Bottich zu tauchen und gewürzten Rauch in die Nase zu bekommen. Dabei bin ich durchaus der Meinung, dass Jesus Christus ein anständiger Mann gewesen ist, nach allem, was man über ihn hört.

Ich trinke einen Schluck Wein. Seine fruchtige Süße überdeckt, wie stark er ist. In meinem Kopf wird es schummrig. Ich sehe Jegors Gesicht vor mir. Setz dich hin, sage ich. Ich vergebe dir.

»Was lallst du?« Marja beugt sich zu mir und schließt mich in die Arme.

Sie riecht nach Gras und Schweiß. Meine Marja, um die ich mich gekümmert habe, als sie eine Woche lang mit Fieberglühen auf ihrer weichen Matratze lag. Ich habe meinen letzten Wodka aufgebraucht, um sie damit abzureiben. Sie roch wie ein Notarzt an Silvester. Als ihr der Schweiß ausbrach, habe ich sie gewaschen. Es war anders als bei meiner Arbeit als medizinische Hilfsschwester. Man kann noch so ausgebildet und erfahren sein, vor so einem Körper steht man manchmal trotzdem staunend wie ein Kind.

Ein weit entferntes Dröhnen drängt an mein Ohr. Der Hahn Konstantin schlägt mit den Flügeln. Lenotschka rutscht von Petrows Schoß, und ihre Augen füllen sich mit Angst. Marja lässt mich los. Ich stehe auf, schirme meine Augen mit der Hand ab.

Staubwolken, die sich auf uns zubewegen. Ich blinzele noch einmal, und nun kann ich sehen, dass es blauweiße Autos der Miliz sind. Sie fahren holprig über die Hauptstraße. Die Beifahrertüren öffnen sich gleichzeitig, bewaffnete Männer in weißen Strahlenschutzanzügen steigen aus.

Ein Schuss ertönt, und eine Flasche Beerenwein zerbirst in tausend Stücke. Gavrilowa schreit sehr hoch und durchdringend. Die Männer rufen uns Befehle zu, aber ich bin wie betäubt und kann die Worte nicht verstehen. Die anderen am Tisch offenbar auch nicht. Nur Sidorow richtet sich langsam auf und hebt die Hände in die Höhe.

Daran merke ich, dass ich alt geworden bin. Nicht an den Schmerzen, den dicken Beinen und den schweren Füßen. Sondern daran, dass ich so langsam begreife. Allerdings sind andere auch nicht viel schneller. Einer der Milizen trägt etwas vor. Das Wort »Haftbefehl« fällt und außerdem noch »Verdacht« und »ermordet zu haben«.

Ich sehe von einem zum anderen. Die Milizmänner haben sich hinter dem Sprechenden postiert. Wir sitzen um den Tisch. Sidorows erhobene Hände zittern vor Anspannung. Das sollte man einem alten Mann nicht antun; ich zische ihm zu, er soll sie runternehmen, aber er hört nicht auf mich. Jegor schüttelt den Kopf. Marja ist empört; sie steht langsam auf, die Faust in die Hüfte gestemmt, die Kornblumen flattern in ihrem Haar. Und Petrow wird noch blasser und hält sich an Lenotschka fest.

Es ist der Moment, in dem ich mir einen Stock wünsche. Ich bin nicht mehr so sicher auf den Beinen, und auch wenn ich jünger bin als Sidorow, sollte ich langsam darüber nachdenken, mir eine Gehhilfe zuzulegen. Ich strecke die Hand nach seinem Stock aus. Ich erhebe mich, auf den Stock gestützt, und gehe auf die Milizen zu. Dann hebe ich den Stock. Ich will mir einfach nur Aufmerksamkeit verschaffen, aber sie weichen zurück und richten ihre Waffen auf mich.

»Gäste sind uns willkommen, aber dann müsst ihr euch auch wie Gäste verhalten.« Meine Stimme sollte donnern, raschelt aber nur wie Herbstlaub im Wind. Sie müssen angestrengt lauschen, um mich zu verstehen. »Wir feiern Hochzeit. Und was tut ihr?«

Der Vordermilizionär winkt mit Papier. »Ihr steht unter Mordverdacht.«

»Wer?«

Der Milizmann guckt in seine Unterlagen. Dann versucht er einen Blick in meine Augen und beginnt sofort zu schielen. »Alle.«

»Ganz Tschernowo?«

»Es tut mir sehr leid, Baba Dunja, aber Sie sind davon nicht ausgenommen.«

Und er zeigt mir eine Zeile mit meinem Namen, um dann das Blatt sofort wegzuziehen. Offenbar hat er Angst, dass ihm die Hände abfallen, wenn wir dasselbe Papier anfassen.

»Sehr geehrter Genosse Milizmitarbeiter«, sage ich. »Sehr geehrter Herr Milizionär. Es kann sich nur um ein Missverständnis handeln.«

Plötzlich fächelt er wild mit dem Blatt. »Ich mache nur meinen Job, Mütterchen.«

»Aber gucken Sie uns bitte an, sehen wir wie Mörder aus?«

Sein Blick streift über unsere Gesichter, eins nach dem anderen. Ruht etwas länger auf dem Brautpaar. Ich beschließe, dessen Status nicht gesondert hervorzuheben, damit er sich nicht auf den Arm genommen fühlt.

»Machen Sie es mir nicht so schwer, Baba Dunja«,

presst er zwischen den Zähnen hervor. »Wir haben wirklich keine Wahl.«

Meine geliebte Enkelin Laura,

hier schreibt dir deine dich liebende Großmutter Baba Dunja aus dem Dorf Tschernowo bei Malyschi. Gerade bin ich allerdings nicht in Tschernowo, sondern im Gefängnis. Verzeih mir daher das graue Papier, ich hatte extra ein schönes Briefpapier mit Rosen gekauft, habe es aber hier nicht dabei.

Du bist jetzt ein großes Mädchen, und ich möchte mich direkt an dich wenden. Ich finde es schön, dass wir uns jetzt schreiben. Du hast es in dieser Hinsicht einfacher als ich und wirst schnell jemanden finden, der dir den Brief übersetzt, falls du ihn nicht verstehen kannst. Vielleicht kannst du sogar Russisch lesen, aber nicht schreiben? Ihr jungen Leute habt es leichter mit Sprachen.

Ich hatte ursprünglich nicht vor, dich oder deine Mutter damit zu belasten. Aber mir ist zu Ohren gekommen, dass die Nachrichten sich über die Grenzen Russlands hinaus ausgebreitet haben. Ich möchte nicht, dass ihr euch unnötige Sorgen macht. Man hat mir erzählt, dass über uns im Fernsehen berichtet wurde. Weniger im russischen, ukrainischen und weißrussischen als vielmehr im ausländischen. Angeblich sind vor dem Gefängnis viele Journalisten und Kameraleute, und das Gericht kann seine Arbeit nicht tun.

Deswegen habe ich mich dafür entschieden, dir diesen Brief zu schreiben, damit du die Dinge von mir erfährst und nicht (nur) von deiner Mutter oder aus dem Fernsehen. Denn das Fernsehen ist gut als Informationsmedium, aber es ist auch gut, über die Ereignisse von demjenigen zu hören, der wirklich dabei war.

Im Gefängnis war ich noch nie. Es nennt sich zwar Untersuchungshaft, weil das Verbrechen noch nicht bewiesen ist. Aber ich kann dir nicht genau sagen, was der Unterschied zum richtigen Gefängnis wäre.

Aber jetzt der Reihe nach.

Wir sind hier zehn Frauen in einer Zelle. Die Zelle ist nicht sehr groß, eher gemütlich. Außer mir sind hier Lenotschka und Marja, das sind zwei Frauen aus Tschernowo. Lenotschka sieht immer traurig aus, weil sie keine Kinder hat. Sie hatte Angst, sie würden krank werden, und hat daher erst gar keine bekommen. Und ich muss sagen, wahrscheinlich war es eine gute Entscheidung.

Marja ist meine Nachbarin. Von ihr habe ich euch schon geschrieben. Die anderen Frauen in der Zelle haben wir erst hier kennengelernt. Viele von ihnen sind sehr nett. Tamara hat sich mit ihrem Mann gestritten, Natalja ein fremdes Baby ohne Erlaubnis auf den Arm genommen, Lida hat Medikamente verwechselt und Katja einen guten Mann beleidigt, wahrscheinlich aus Versehen.

Am Anfang hatten sie Sorge, dass wir nicht gut zusammenpassen als Zelle, aber dann hat sich das gebessert.

Unsere Männer aus Tschernowo kriege ich nicht zu Gesicht, aber ich hoffe, dass es ihnen gut geht.

Ich muss dir gestehen, deine alte Großmutter lässt sich hier ein bisschen hängen. Ich habe manchmal schlechte Laune. Es ist Marja, die mich aufmuntert. Sie sorgt dafür, dass ich mir von der Suppe nehme und dass ich auf dem unteren Bett meinen Platz zum Schlafen habe, und mit Gesprächen hält sie mich davon ab, allzu wehmütig zu werden. Sie sagt, ich solle mich nicht *einigeln, schließlich sei sie hier diejenige, die gerade geheiratet habe, und müsse viel deprimierter sein als ich.*

Die Hochzeit wird im Gefängnis natürlich nicht anerkannt, und Marja und ihr frisch vermählter Sidorow sind vor dem Gesetz fremde Leute und müssen gegeneinander aussagen.

Meine geliebte Enkelin Laura, ich weiß nicht, was bei euch im deutschen Fernsehen gesendet wird. Ich werfe manchmal einen Blick aus dem Fenster, wenn ich zur Befragung abgeholt werde. Aber ich sehe nur Stacheldraht und Mauern.

An dieser Stelle mache ich Schluss und umarme dich, deine dich liebende Großmutter Baba Dunja.

Ich kenne das Gefühl, wenn man hilflos ist und nicht weiß, was man tun soll. Ich kenne aber nicht das Gefühl, dass man nicht weiß, was richtig und was falsch ist. Ich müsste Laura schreiben, dass ich ihren Brief nicht lesen konnte. Aber ein wenig schäme ich mich dafür. Außerdem muss ich davon ausgehen, dass Irina meine Post mitliest. Ich bin es nicht gewohnt, um tausend Ecken zu denken, ich bin schon immer gradlinig gewesen.

Ich hoffe nur, ich habe mit dieser dummen Verhaftung Irina und Laura nicht blamiert.

Es ist Nacht in unserer Zelle, und ich höre die anderen schnarchen. Es ist seltsam, wie schnell sich Menschen aneinander gewöhnen, wenn sie müssen. In unserer Zelle kann ich Tamara, Natalja, Lida und Katja besonders gut leiden. Tamara hat ihren Mann mit einem Bügeleisen erschlagen. Natalja hat ein Baby aus einem

Kinderwagen vor dem Metzgerladen geklaut. Lida hat Zuckertabletten als amerikanisches Aspirin verkauft, und Katja hat bei einem Popen unanständige Worte an das Garagentor gesprüht.

Am Anfang wollten sie nicht mit uns reden, sie wollten nicht einmal mit uns in einer Zelle sein, weil sie Angst vor der Strahlung hatten. Sie haben an die Tür getrommelt und geschrien, bis eine Wache kam und das Licht ausgemacht hat.

Irgendwo in der Ferne klappert Metallgeschirr. Ich bin eingesperrt wie ein Meerschwein. Wir hatten nie Hamster oder Vögel zu Hause, keine Tiere, die man in Käfigen hielt. Ich war dagegen, Tiere hinter Schloss und Riegel zu halten.

Wenn Marja sich im Schlaf umdreht, erzittert die ganze Zelle. Marja tut mir besonders leid. Lenotschka weniger; sie guckt hier nicht einmal anders als in Tschernowo.

Ich nehme Lauras Brief, den ich immer bei mir habe, heraus und gehe damit langsam zur Tür. Das Licht in unserer Zelle ist aus, aber es leuchtet matt vom Flur durch das kleine Gitterfenster herein. Ich versuche, die Worte zu lesen, die für mich immer noch keinen Sinn ergeben, wie schon so oft davor. Deswegen halte ich mich an der Unterschrift in lateinischen Buchstaben fest – Laura.

Eine Aufseherdame hat Bewegung in unserer Zelle mitgekriegt. Sie geht mit gleichmäßigen, schweren Schritten auf unsere Tür zu. Viele Frauen hier haben Körper wie Männer, in der Mitte besonders breit. Das Fenster öffnet sich.

»Ich bin's, Baba Dunja«, flüstere ich eilig, damit sie nicht losschreit und das ganze Stockwerk weckt.

»Schlaf endlich, Alte.«

»Ich kann nicht. Alte sind schlaflos.«

»Dann leg dich hin und halt den Rand.«

»Wie ist dein Name, Tochter?«

Sie stutzt kurz. »Jekaterina.«

»Das ist ein schöner Name. Kannst du Deutsch, Katja?«

Sie ist eine große Frau. Ihr Gesicht hängt im Gitterfenster, aufgedunsen, rund und blass wie der Vollmond. Man sieht ihr an, dass sie nachts arbeiten muss und viel trinkt. Und dass zu Hause niemand auf sie wartet.

»Ich habe in der Schule Französisch gelernt. Und wenn ich noch was von dir höre, Alte, dann komm ich rein.«

Ich falte Lauras Brief zusammen, bis er ganz klein in meiner Hand liegt. Meine größte Angst ist, dass er zerfällt, bevor ich erfahre, was drin steht.

Meine geliebte Enkelin Laura,

ich habe den ersten Brief abgegeben, denke aber, du wirst ihn noch nicht bekommen haben. Es ist ein wenig schwer für mich, dir zu schreiben, weil ich nicht genau weiß, was dich beschäftigt. Die Post braucht lange von hier bis zu dir nach Deutschland. Mein Befrager, der Herr Ermittler von der Miliz, wird nervös, weil er bei der Aufklärung der Straftat nicht weiterkommt und weil die Angehörigen des Toten unruhig werden. Ich glaube, die-

der tote Mann hatte viel Geld, und die Menschen kannten sein Gesicht. Nun, was hat es ihm geholfen.

Ich habe inzwischen einen Anwalt. Er wird vom Staat bezahlt und ist noch ziemlich jung. Er heißt Arkadij Sergejewitsch.

Baba Dunja, sagt er zu mir, wenn Sie mir immer nur von Ihren Kartoffelkäfern in Tschernowo erzählen, kann ich keine Strategie erarbeiten.

Und ich sage, welche Strategie? Wozu braucht ein unschuldiger Mensch eine Strategie?

Gestern hat er gesagt, dass eine deutsche Zeitschrift ihn gebeten hat, Kontakt zu mir herzustellen, und ihm Fragen für mich mitgegeben hat. Ich frage mich natürlich, hat deine Mutter etwas damit zu tun? Wieso interessiert sich eine deutsche Zeitschrift für mich?

Ich wollte dir noch ein bisschen vom Gefängnis allgemein erzählen, damit es nicht immer nur um mich geht. Man kann es hier aushalten. Die Mädchen vertragen sich jetzt besser untereinander. Marja hat mal im Fernsehen gesehen, dass man in Gefängnissen leicht an Drogen kommt, aber ich habe ihr und den anderen gesagt, in meiner Zelle gibt es das nicht, wir haben eine saubere Zelle. Marja war sauer, sie sagte, ich würde ihr den letzten Spaß verderben.

Und sie sagt, dass die anderen nicht deswegen auf mich hören, weil ich Baba Dunja aus Tschernowo bin. Die lesen nämlich keine Zeitung. Sondern, weil sie das tätowierte Auge auf meiner Hand gesehen haben. Tätowierte Augen haben im Gefängnis nur ganz wichtige Leute, vor denen alle Angst haben (hat Marja in Erfahrung gebracht).

Dabei ist es gar kein Auge, sondern ein O wie Oleg. Ich habe versucht, das O mit Farbe auszufüllen, weil ich es nicht mehr haben wollte, und deswegen sieht es immer noch seltsam aus.

Gute Tinte verblasst auch nach siebzig Jahren nur langsam. Aber das ist eine andere Geschichte.

Das Essen ist in Ordnung. Im Flur vor dem Speisesaal gibt es eine Vitrine, in der jeden Mittag eine Musterportion Suppe oder Brei hingestellt wird, damit niemand mault, er würde zu wenig bekommen. Eine alte Frau braucht nicht viel, ich kann sogar meist noch Marja etwas abgeben.

Ich will mir gar nicht ausmalen, wie mein Garten zuwuchert, während ich hier sitze. Ich hoffe, dir geht es gut, und du hast gute Noten in der Schule.

Deine dich liebende Baba Dunja.

Meine geliebte Enkelin Laura,

es schreibt dir schon wieder deine Baba Dunja. Du wunderst dich wahrscheinlich, warum ich dir jetzt so oft schreibe. Es ist nicht nur so, dass man im Gefängnis mehr Zeit hat als sonst. Man hat auch mehr zu erzählen.

In zwei Tagen kommt es zu einer Gerichtsverhandlung. Die dauert lange, hat mir Arkadij Sergejewitsch, der kleine Junge mit dem Aktenkoffer, erklärt. Es wird die Anklage vorgelesen und Zeugen werden befragt, und wir sind ja auch so viele auf der Anklagebank, das ganze Dorf. Es wird wohl auch Publikum da sein, weil der Prozess so ungewöhnlich ist und weil mich manche Leute da draußen zu kennen scheinen, obwohl ich sie nicht kenne. Ich habe mich gefragt, ob ich mich schämen soll, und dann beschlossen: Nein, ich brauche mich nicht zu schämen, denn ich habe nichts Unrechtes getan.

Ich muss über einige Sachen nachdenken, die ich vor Gericht sagen werde. Ich bin es nicht gewohnt, vor vielen Menschen zu *sprechen. Aber wenn Arkadij Sergejewitsch meine Worte vorliest, dann glauben die Leute vielleicht nicht, dass sie von mir sind. Also muss ich es selbst tun.*

Was auch immer du von mir hören wirst, vergiss nie: Deine Baba Dunja hat niemanden so sehr lieb wie dich, auch wenn wir uns noch nie gesehen haben.

In der Nacht wache ich davon auf, dass Marja auf meiner Pritsche sitzt und heult. Man sieht den zitternden Umriss ihres großen Körpers. Sie versucht leise zu sein, denn Tamara, die ihren Mann mit einem Bügeleisen erschlagen hat, schätzt es nicht, wenn man zur Schlafenszeit Lärm macht.

»Was ist?«, flüstere ich. Marja atmet nur stoßweise.

»Ich verstehe nichts, Maschenka.«

Ich drücke mich gegen die Wand, während sie versucht, sich neben mir auszustrecken. Das ist ein heikles Unterfangen: Entweder Marja kracht auf den Boden, oder sie legt sich auf mich und erstickt mich mit ihren Brüsten. Ich ziehe den Bauch ein und versuche mich so schmal wie möglich zu machen.

Sie legt den Arm um meinen Hals und drückt die Lippen gegen mein Ohr.

»Ich habe solche Angst, Dunja«, heiße Tränen rinnen in meinen Gehörgang, »ich habe Angst, dass sie uns alle verurteilen und erschießen.«

»Erschießen wohl kaum, Marja. Das hat man vor fünfzig Jahren gemacht.«

»Du hast es gut, dich kann überhaupt nichts erschüttern.«

Darauf sage ich nichts.

»Es stimmt natürlich, dass wir ihn gemeinsam eingebuddelt haben, aber getötet hat ihn nur einer!«

Marjas Tränen brennen in meinem Ohr. Ich befreie eine Hand und streichle ihr über die Schulter. Sie ist schlechter dran als ich, ihr Anwalt ist nicht gekommen. Ich habe Arkadij gefragt, ob er sie mitverteidigen kann, aber er meinte, das sei verboten. Überhaupt bekomme ich das Gefühl, dass hier im Gefängnis ein gehöriges Durcheinander herrscht. Und dann noch die Kamerateams draußen, die die Leute bei der Arbeit stören.

»Du weißt bestimmt, wer es war, Dunja!« Marja kann sich immer schlechter kontrollieren, sie steigert sich in einen hysterischen Anfall hinein. »Bitte mach, dass ich nach Hause komme. Ich will nach Tschernowo. Da kann mir keiner was. Ich bin extra hingezogen, weil ich dachte, da habe ich meine Ruhe, aber die haben mich trotzdem gefunden und eingesperrt.«

Mein Herz beginnt zu pochen. Ich presse die Lippen zusammen. Sie weiß nicht, dass sie in manchen Nächten den Namen ihres Alexanders ruft.

»Tu was! Du bist doch die Chefin«, schluchzt sie.

»Ich war nie die Chefin.«

Aber sie hört mir nicht zu. Sie zittert, und ich zittere mit ihr. »Ich kann nicht mehr, ich dreh hier durch.«

»Ruhig«, sage ich. »Du musst noch ein bisschen die Nerven behalten, mein Mädchen. Ich sorge dafür, dass du nach Hause kommst. Ich verspreche es dir.«

Sie heult jetzt richtig laut, mit voller Stimme, bis ein von Tamara gezielt geworfener Stiefel sie zum Schweigen bringt.

»Arkadij Sergejewitsch«, sage ich, »wie kann man rausfinden, um welche Sprache es sich handelt?«

»Wie bitte?«, fragt er.

Wir treffen uns immer im selben Raum. Er ist quadratisch und so klein, dass nur ein Tisch und zwei Stühle reinpassen. Die Tür steht offen, und ab zu steckt ein Aufseher die Nase herein, um uns anzubellen oder heimlich ein Foto zu schießen. Manchmal steht Arkadij dann auf, geht raus und schreit herum. Es hat mich überrascht, dass er so laut werden kann.

Er ist schmächtig, trägt ein weißes Hemd und einen Anzug, die Aktentasche liegt zwischen uns auf dem Tisch, daneben sein tragbares Telefon mit dem großen Bildschirm, der ständig aufleuchtet. Die Schatten unter Arkadijs Augen reichen bis zu seinen eingefallenen Wangen. Auf seinem Ringfinger ist ein Ehering. Anstatt bei seiner Frau zu sein, hockt er hier bei mir und stellt mir Fragen, die immer die gleichen sind, sodass ich langsam die Anstrengung nicht mehr auf mich nehmen mag, sie zu beantworten.

Er öffnet seine Aktentasche und zieht eine Tafel Schokolade heraus.

Auf dem schwarzen Papier sind ausländische goldene Buchstaben eingeprägt. Mit dem gleichen Alphabet ist Lauras Brief geschrieben.

»Das ist für Sie«, sagt er.

»Danke, das ist doch nicht nötig.«

»Ich zerbreche mir den Kopf, womit ich Ihnen eine Freude machen kann.«

»Ich habe alles und bin zufrieden. Danke für die Kiwi neulich, ich habe lange keine mehr gehabt.«

»Baba Dunja! Sie lassen mich verzweifeln.«

»Was würde passieren, wenn einer gestehen würde?«, frage ich. »Dürften dann alle anderen nach Hause?«

»Das kommt drauf an.«

»Worauf?«

»Darauf, wer gesteht.«

So verlaufen unsere Gespräche immer. Und das ermüdet mich.

»Ich gehe wieder zurück in meine Zelle, Arkadij.«

»Warten Sie, bitte!«

Dieses ständige Aufstehen und Wieder-Hinsetzen geht mir auf die Knie.

»Ihre Frage hat keine Antwort. Es gibt zu viele Sprachen auf der Welt«, sagt er.

»Und wenn es auf Papier geschrieben steht?«

Er lehnt sich zurück und schließt die Augen. Einige Sekunden kippelt er auf dem Stuhl wie ein kleiner Junge, dem im Unterricht langweilig ist.

»Wenn oft *the* drin steht, dann ist es Englisch. Wenn es viele *der, die* oder *das* gibt, dann ist es Deutsch. Und wenn da ein *un* oder *une* steht, dann eher Französisch. Und bei *il* könnte es sich um Italienisch handeln. Oder immer noch um Französisch.«

Ich schaue ihn respektvoll an. »Du bist noch so jung

und schon so gebildet«, sage ich. »Geh endlich heim zu deiner Frau und schlaf dich aus.«

Petrow und die anderen Männer sehe ich während des ersten Prozesstages wieder. Wir werden nacheinander in den Käfig im Gerichtssaal gebracht und auf die Bank gesetzt. Sidorows Knie sind zu steif, er bleibt stehen und hält sich an Petrows Schulter fest. Man muss keine medizinische Hilfsschwester gewesen sein, um zu begreifen: Er wird so nicht lange durchhalten. Aber eigentlich habe ich bei allen Schlimmeres erwartet.

Ich sehe meinen Arkadij Sergejewitsch mit roten Flecken im kalkweißen Gesicht. Er sitzt auf der anderen Seite des Käfigs. Der Gerichtssaal ist zum Bersten voll, allerdings habe ich ihn mir größer vorgestellt. Fotografen und Kameraleute werden im Minutentakt an uns vorbeigeschleust. Sie rufen uns irgendwas zu, aber wir schauen nur bewegungslos in ihre Objektive.

Wir Leute aus Tschernowo haben uns nicht begrüßt, wir sehen uns nicht einmal an. Das könnte als Unhöflichkeit ausgelegt werden. In Wirklichkeit sind wir miteinander verbunden und brauchen keine Formalitäten.

Die Richterin ist eine kräftige Frau mit wasserstoffblonder Frisur. Sie trägt eine schwarze Robe, am Kragen baumelt ein weißes Lätzchen. Während sie spricht, sehe ich mir die Gesichter im Raum an. Männer und Frauen, in Anzügen, in Hemden, in Jeansjacken.

Ich drehe mich zu Petrow. Ihn muss ich anschauen. Ihm muss ich meine wichtigste Frage stellen. Er schaut herausfordernd zurück. Ich schüttle kurz den Kopf. Es ist der falsche Moment, um sich wie ein trotziges Kind aufzuführen.

Ich bin eh bald tot, lese ich in seinen Augen. Willst du wirklich, dass ich meine letzten Tage im Gefängnis verbringe?

Ich stehe auf, trete an das Gitter und klopfe dagegen. Die Richterin hält in ihrer Rede inne.

»Man muss es nicht unnötig in die Länge ziehen«, sage ich. Rostig scheppert meine alte Stimme durch den Gerichtssaal.

Arkadij steht hektisch auf. Ich deute ihm mit der Hand, dass er sich wieder hinsetzen soll.

Die Richterin guckt auf mich herunter. Sie hat das Gesicht einer Kassiererin aus den Achtzigerjahren. An den Fingern trägt sie dicke Ringe. Das beruhigt mich. Diese Frau stammt aus einer Welt, die ich noch kenne. Vielleicht war sie eines der ersten Babys, das ich aufgefangen habe. Vielleicht habe ich mal ihr Bein geschient. Vielleicht den Tod ihrer Großmutter festgestellt. Es waren so viele, die in all den Jahren an mir vorbeigezogen sind.

»Baba Dunja?«, fragt sie, und alle lachen. Sie räuspert sich und mahnt zur Ordnung. »Verzeihung ... Evdokija Anatoljewna. Geht es Ihnen nicht gut?«

Evdokija Anatoljewna ist der Name, der in meinem Pass steht. Es geht ein Raunen durch den Saal.

»Mir geht's gut«, sage ich. »Aber ich muss etwas sagen. Wir alle hier in diesem Käfig sind entweder alt oder schwach oder beides. Man sollte niemanden so quälen, das ist unwürdig. Bitte, Ihre Majestät … ich kenne leider Ihren Namen und Ihren Vatersnamen nicht. Ich kenne die Gebräuche hier nicht, also bitte ich um Vergebung, wenn ich etwas falsch mache.«

Die Richterin guckt zu Arkadij. Arkadij guckt zu mir. Die Leute in Uniform flüstern miteinander. Es folgt eine Kette aus Bewegungen und Blicken. Auf einmal fühle ich mich schwächlich, und ich versuche, mich an den Gitterstäben festzuhalten.

Alle gucken mich an, und niemand weiß, was wirklich passiert ist an jenem Tag in Tschernowo. Überhaupt wissen es, bis auf den Toten, nur zwei Menschen auf dieser Welt. Und ich bin eine davon.

»Niemand von Ihnen weiß, was wirklich passiert ist«, sage ich. »Entschuldigen Sie, dass ich Ihnen den Ablauf durcheinanderbringe. Aber da im Käfig befindet sich ein hundert Jahre alter Mann, und er kann nicht mehr lange stehen. Ich erzähle Ihnen deswegen, worum es geht. Ich werde mich kurz fassen. Wir sind die letzten Einwohner von Tschernowo. Der Tote, um den es hier geht, wollte auch zu uns ziehen. Er hatte seine kleine Tochter mitgebracht.«

Wenn ich vorhin gedacht habe, dass es still ist im Saal, so habe ich mich geirrt. Jetzt erst ist es richtig still.

»Tschernowo ist ein schöner Ort«, sage ich. »Ein guter Ort für uns. Wir jagen niemanden fort. Wenn man noch jung ist und gesund, dann würde ich allerdings eher abraten. Es ist einfach nicht für jeden. Wer sein kleines Kind aus Rache zu uns bringt, ist böse.

Ein Kind braucht die Mutter, und es braucht saubere Luft.«

Ich fixiere den weißen Latz der Richterin. Ich muss mich konzentrieren. Kurz denke ich noch, dass sie wahrscheinlich auch kein Englisch kann.

»Und jetzt bitte ich Sie, folgende Aussage genau zu notieren. Arkadij, lass mich, ich bin eine alte Frau und im Vollbesitz meiner geistigen Kräfte. Hören Sie zu, Majestät. Ich, Baba Dunja aus Tschernowo, habe den bösen Mann mit einer Axt erschlagen und die anderen unter Androhung von Gewalt gezwungen, ihm ein Loch im Garten zu schaufeln. Sie hatten keine Chance, sich mir zu widersetzen. Ich möchte hiermit beantragen, Euer Gnaden, all die anderen freizulassen und mich als alleinige Verbrecherin zu bestrafen.«

Meine liebe Enkelin Laura,

ich hoffe, dir und deiner Mutter und natürlich auch deinem von mir geschätzten Vater geht es gut.

Ich nutze meine Arbeitspause von fünfzehn Minuten, um dir zu schreiben, solange es noch hell ist. Du hast es sicher im Fernsehen gesehen, deine Großmutter ist jetzt eine Schwerverbrecherin. Ich wurde für Totschlag im Affekt zu drei Jahren Haft verurteilt.

Ich schäme mich ein wenig, dir zu schreiben, weil du dich vielleicht für mich schämst. Aber du brauchst es nicht. Erstens ist mein Gewissen rein. Ich habe nur getan, was getan werden musste. Zweitens bist du ein gutes Mädchen, selbst wenn du eine Verrückte zur Großmutter hast.

Ich trage dein Foto bei mir, auf dem du ein rotes T-Shirt anhast. Ich habe nicht viele Sachen hier, nur das bisschen für den täglichen Gebrauch. Ich denke oft an mein schönes Haus in Tschernowo. Es sieht jetzt so aus, als ob ich doch nicht dort sterben würde, wie ich es mir gewünscht habe. Ich habe mich an diesen Gedanken noch nicht gewöhnt. Glaub mir, Laura, ich habe in meinem Leben vieles erlebt. Aber meine friedlichsten Jahre habe ich dort verbracht.

Jetzt bin ich in einem Lager untergebracht. Hier ist das Leben aber auch in Ordnung. Mit den Mädchen komme ich zurecht. Wir werden um sechs Uhr geweckt, und nach dem Waschen und Frühstück (Graupen) gehen wir in die Werkstätten an die Nähmaschinen. Wir nähen Kissenbezüge. Pro Jahr darf ich sechs Pakete bekommen, aber ich habe es deiner Mutter extra nicht geschrieben, damit sie nicht wieder unnötig Geld für mich ausgibt.

Außerdem sind vier mehrtägige Besuche erlaubt und sechs Kurzbesuche bis drei Stunden. Schade, dass du so weit weg bist und mich nicht besuchen kannst. Für Marja ist der Weg auch zu weit. Arkadij meldet sich für Kurzbesuche an, als hätte er nichts Besseres zu tun. Wir sind dann durch eine Glasscheibe getrennt und sprechen über einen Telefonhörer. Er darf aber nichts Gemeines über jemanden sagen, weil uns sonst die Aufseherin, die alle Gespräche mithört, sofort unterbricht. Deswegen liest er mir aus der Zeitschrift »Gärtnern heute« vor. Einmal gab es Ärger, weil die Aufseherin das Düngeschema für eine verschlüsselte Botschaft gehalten hat.

Ich zähle nicht die Tage, genauso wenig wie ich sie in Tschernowo oder sonst wo gezählt habe.

Ich schaffe es nicht, diesen Brief zu beenden. Meine Hand will mir nicht gehorchen. Ich versuche, die Finger zu strecken, aber sie bleiben gekrümmt. Ich schaue misstrauisch auf meine verräterischen Glieder, die mich noch nie im Stich gelassen haben, und befreie den Stift mithilfe der anderen Hand. Dann will ich aufstehen. Ich merke rechtzeitig, dass mir das nicht gelingen wird, und bleibe sitzen. Einen Sturz mit einem möglichen Oberschenkelhalsbruch zur Folge kann ich nicht gebrauchen.

Ich sitze bestimmt eine halbe Stunde da. Vielleicht auch länger oder kürzer. Dann versuche ich um Hilfe zu rufen, aber es gelingt mir nicht. Meine Augen fallen langsam zu. Ich weiß genau, was mit mir passiert, aber das Wort dafür will mir nicht einfallen. Mein Rückgrat schmerzt vom zu langen Sitzen. Wann werde ich endlich gesucht, ich müsste doch längst zurück an die Arbeit. Jemand dreht mich auf den Rücken – ich habe gar nicht bemerkt, dass ich umgefallen bin.

Manche behaupten, die Seele könnte den Körper verlassen und darüber schweben, um sich dann zu überlegen, ob sie in diese Hülle noch einmal zurückkehrt. Ich weiß nicht, ob etwas dran ist, denn ich wurde zur Materialistin erzogen. Wir hatten es nicht so mit Seelen und Taufen und Paradies und Hölle. Ich schwebe auch nicht über meinem Bett, sondern ich liege darin. Aus dem einen Auge gucke ich auf Irina. Aus dem anderen auf Arkadij. Ich versuche, die beiden Augen zusammenzuführen. An der Wand erkenne ich einen Infusionsständer.

Außerdem trage ich ein fremdes Nachthemd und bin bis zum Bauch zugedeckt.

Ich schließe die Augen wieder.

Ich bin schon immer gesund gewesen. In meinem ganzen Leben war ich nur im Krankenhaus, als ich meine Kinder zur Welt gebracht habe. Mit Alexej wurde ich schwanger, als Irina noch kein Jahr alt war. Ich hatte gedacht, dass Stillen Schwangerschaften verhütet, und weil ich so lange auf Irina gewartet hatte, rechnete ich gar nicht mit einem zweiten Kind.

Jegor war wütend auf mich. Während meiner zweiten Schwangerschaft war er wenig zu Hause und machte sich gar nicht erst die Mühe, die Abwesenheiten mit Arbeitsfahrten zu erklären. Wenn er wieder auftauchte, roch er nach billigem Parfum. Seitdem hasse ich Parfum. Eigentlich nahm ich mir vor, Jegor nicht mehr zur Tür reinzulassen. Aber dann platzte die Fruchtblase einige Wochen zu früh, und jemand musste bei der kleinen Irina bleiben, während ich ihren Bruder zur Welt brachte. Dass es ein Junge wurde, erfüllte Jegor mit Stolz, und dass es eine Frühgeburt war, mit Schuldgefühlen. Jegor küsste meine Hände und heulte meinen Schoß voll.

Ich öffne die Augen wieder.

Es ist das zweite Mal in meinem Leben, dass ich Irina weinen sehe. Sie sitzt auf einem Plastikstuhl neben meinem Bett, in ihren Händen jede Menge Papier.

Ich verstehe den Grund ihrer Tränen nicht, denn mir geht es gut, und ich möchte hier raus. Ich habe bestimmt einige Zeit an meiner Nähmaschine gefehlt. Ich bin nicht in den Strafvollzug gekommen, um im Bett zu liegen.

Das teile ich auch Irina mit.

»Willst du mal in den Spiegel schauen, Mutter?«, fragt Irina. Ich spüre selbst, dass mein Mundwinkel hängt. Aber das hat noch niemanden daran gehindert, gerade Nähte zu nähen. Ansonsten ist sie die Letzte, die mein Äußeres kritisieren sollte. Seit wir uns das letzte Mal gesehen haben, ist sie um Jahrzehnte gealtert.

»Du hättest nicht kommen müssen«, sage ich. »Du kriegst dadurch sicher Schwierigkeiten auf der Arbeit.«

Irina erschrickt mich mit der Mitteilung, dass sie schon seit über zwei Wochen im Lande sei. Sie muss unbezahlten Urlaub genommen haben, deutsche Ärzte dürfen bestimmt nicht so lange freinehmen. Nicht, dass sie jetzt auch noch ihre Arbeit verliert. Anstatt deutsche Soldaten aufzuschneiden und wieder zuzunähen, ist sie hierhergeflogen. Ich erfahre, dass sie seit Tagen mit meinem Anwalt dafür kämpft, dass ich in ein anständiges Krankenhaus verlegt werde. Auch jetzt klingelt ihr Telefon, und sie sagt, Ämnesti sei dran. Aber ich kenne diese Frau nicht.

»Und keiner gießt meine Tomaten in Tschernowo«, denke ich laut.

»Vergiss die Tomaten, Mutter. In Deutschland pachten wir dir einen Kleingarten.«

»Was soll ich in Deutschland? Da kenne ich niemanden außer euch.«

»Aber dich kennen alle«, sagt Irina und holt eine Zeitschrift hervor.

Es jagt mir einen Schrecken ein, das Foto zu sehen. Ich wurde schon als junges Mädchen wenig fotografiert, und das hat gute Gründe. Dass ich auf dem Umschlag dieser deutschen Zeitschrift bin mit meinem Kopftuch, meinen Runzeln und den noch ziemlich guten Zähnen, das ist der Beweis dafür, dass die Welt da draußen verrückt geworden ist.

Ich sehe noch mehr Fotos. Fotos von Tschernowo, in Schwarz-Weiß. Ich erinnere mich an den Fotografen, der eine Sprache gesprochen hat, die wir nicht verstanden. Er hatte einen hysterischen Dolmetscher dabei und fotografierte alles, Marja und ihre Ziege, Lenotschka und ihre Apfelbäume, Sidorow und sein Telefon.

Das sind also die Fotos, die damals entstanden sind.

Selbst Konstantin ist abgelichtet. Und ich stehe vor meinem Haus, um meine Füße schleichen die Katzen.

Es steht sehr viel geschrieben da. Die Bilder sind alt, aber die Zeitschrift ist neu. Sie hat die Fotos aus aktuellem Anlass abgedruckt. Irina liest mir vor, etwas holprig, denn sie muss übersetzen.

»Baba Dunja ist eine dieser Frauen, auf die man neidisch ist, weil sie lächeln können wie Kinder. Sie hat ein kleines, runzliges Gesicht und schmale dunkelbraune Augen. Sie ist winzig und kugelrund – sie misst kaum 1,50 Meter. Eine Symbolfigur. Eine Erfindung der internationalen Presse. Ein moderner Mythos.«

Ich betrachte meine Hände. Auf dem Handrücken das blasse »O« zwischen den Altersflecken, das wirklich ein wenig wie ein Auge aussieht. Ich wollte nicht mehr leben, als Oleg sich eine andere genommen hat, und nun kann ich mich nicht mehr an sein Gesicht erinnern.

»Ich bin doch keine Erfindung. Es gibt mich doch, oder, Irina?«

Und wieder heult Irina wie ein kleines Kind.

Ich möchte, dass Ruhe einkehrt. Ich möchte zurück an die Arbeit gehen. Noch bin ich etwas zu schwach auf den Beinen, aber das wird wieder. Ich möchte mich anziehen wie ein Mensch. Ich möchte, dass Irina nach Hause fährt. Und ich möchte herausbekommen, was sie so bekümmert. Sie will es mir nicht sagen. Sie will mit mir darüber reden, was in dieser Zeitung steht, was die Welt über mich denkt, aber was interessiert mich die Welt?

»Hat Laura meine Briefe gelesen?«

»Laura?« Irgendetwas in ihrem Gesicht macht mir Angst.

»Ja. Laura. Sind die Briefe angekommen?«

»Wir haben schon lange keine Briefe von dir bekommen, Mutter.«

»Aber ich habe sie geschrieben.«

»Vielleicht hast du sie falsch frankiert.«

»Aber ich habe darin alles erklärt.«

Sie zuckt mit den Schultern. Sie brauchen meine Erklärungen nicht. Kein Mensch braucht Erklärungen. Menschen brauchen Ruhe und vielleicht noch Geld.

»Wie geht es Laura?«, frage ich.

»Laura?«, wiederholt sie wieder. Und so, wie sie wiederholt, jagt sie mir einen Schauer über den Rücken. Weil ich begreife, dass ich jetzt etwas Schreckliches erfahren werde.

»Laura ist krank?« Meine Lippen werden taub vor Sorge.

Irina schüttelt den Kopf. Und dann denke ich, dass ich es hätte wissen müssen. Längst erkennen, weil alles darauf hindeutete. »Laura gibt es gar nicht, richtig? Du hast sie dir ausgedacht. Du kannst gar keine Kinder haben. Oder du wolltest nicht. Wie Lenotschka.«

Irina schaut mich an. Ihre Augen aufgerissen und sehr blau. Wenn sie nicht so ein strenges Gesicht hätte, wäre sie schön. Aber ich habe sie nicht zu einer schönen Frau erzogen. Ich habe versucht, sie irgendwie durchzubringen. Wenigstens das ist mir gelungen.

Und in meinem Kopf ist nur ein Gedanke: Was hat das alles für einen Sinn, wenn es Laura nicht gibt?

»Natürlich gibt es sie«, sagt Irina. »Aber sie ist ganz anders, als du denkst.«

Die Laura, die ich kenne, ist blond und hat traurige Augen. Ihr Gesicht ist so fein, dass es fast schon wehtut. Sie trägt keine Haarspangen und lächelt nie. Sie ist ein Wunder, weil sie perfekt ist. So ist meine Laura auf den Fotos.

Laura, von der Irina spricht, hat sich den Kopf kahl rasiert. Sie hat ihren Eltern Geld gestohlen, sie hatte mit dreizehn Jahren eine Alkoholvergiftung, sie ist von zwei Schulen geworfen worden, und sie versteht kaum Russisch, was ich ihr jederzeit nachsehe.

»Sie hasst mich«, sagt Irina und guckt aus rot geriebenen Augen durch mich hindurch.

Noch nie hat Irina so mit mir gesprochen. Noch nie hat sie erzählt, dass sie Sorgen hat. Und dann gleich solche. Man müsste sie in die Arme nehmen, aber das sind wir nicht gewohnt.

»Ich habe alles falsch gemacht, Mutter.«

»Nein«, sage ich. »Ich habe alles falsch gemacht. Es bricht mir das Herz, dass du so viele Probleme hast, und dann komme auch noch ich mit meinem Mord. Ich hoffe nur, dein Mann denkt nichts Böses über unsere Familie.«

»Keine Ahnung, was er denkt. Wir sind seit sieben Jahren geschieden.«

Das sagt sie beiläufig, und ich nicke genauso beiläufig. Was soll's. Kinder sind wichtiger. Unser Kind ist in Not. Und angesichts dieser Nachricht verblasst alles, was mich umgibt – die Verurteilung, mein Schlaganfall und die Kissenbezüge in der Strafanstalt.

»Ich kann dir nicht mal das Geld geben, das ich für Laura gespart habe. Das liegt in einer Teedose in Tschernowo. Vielleicht kann es jemand holen.«

»Ich kann ihr auch nichts geben. Ich weiß nicht, wo sie ist.«

»Ich verstehe dich nicht.«

»Was gibt es da nicht zu verstehen? Laura ist abgehauen. Sie wird seit Monaten vermisst. Sie meldet sich nicht mehr bei mir. Ich habe keine Ahnung, wo sie ist.«

Und deswegen sage ich etwas, wovon ich sicher bin, dass es Irina endlich helfen wird. »Laura hat mir einen Brief geschrieben.«

Wieder kann ich nicht sagen, ob es jetzt richtig oder falsch ist, was ich da tue. Ich bitte Irina, mir meine Plastiktüte zu geben, die jemand neben das Bett gestellt hat. Ich packe aus: eine Seife in einer Seifenkiste, einen Schwamm, eine halb ausgequetschte Tube Handcreme und eine andere mit Zahnpasta. Den roten Lippenstift, den mir Marja für die Zeit im Gefängnis ausgeliehen hat. Und das kleine, zusammengefaltete Stück Papier, das ich glatt streiche.

»Ich habe nur all die *the* verstanden«, sage ich. »Ich habe niemanden gefunden, der es mir übersetzen könnte.«

Irina reißt mir den Brief ein wenig zu hastig aus der Hand. Mein Vertrauensbruch gegenüber Laura tut mir in der Seele weh. Aber Irina braucht das jetzt. Sie beugt sich über das Blatt, ihre Lippen bewegen sich lautlos.

»Was steht dadrin? Kannst du es lesen?«

Sie antwortet nicht, ihre Augen gleiten auf und ab, und das Kinn beginnt zu zittern.

»Sag's mir, Irina.«

Sie hebt den Kopf und schaut mich an. »Da steht genau das drin, was ich dir erzählt habe. Was für ein verkorkstes Leben sie geführt hat. Wie furchtbar ihre Familie ist.«

»Sie meint es sicher nicht so.«

»Und ob sie das so meint. Und dass sie uns alle hasst. Nur dich nicht.«

»Und wo ist sie jetzt?«

»Das steht hier leider nicht.«

Ich weiß, dass Irina gelogen hat. In dem Brief stand mehr, als sie mir erzählt hat. Sie hat sich hastig verabschiedet und gesagt, dass sie wiederkommt, sobald es geht. Ich habe gesagt, sie soll sich um mich keine Gedanken machen. Ich werde zurechtkommen. Sie soll sich um ihr Kind kümmern. Ich mag all die Geschichten, die sie über Laura erzählt hat, nicht glauben. Laura ist ein gutes Mädchen.

»Und du bist noch jung und kannst sogar noch mal heiraten, wenn du bloß lernen würdest, zu lächeln und dir schöne Kleider zu kaufen«, habe ich Irina zum Abschied gesagt.

»Von wem hätte ich es denn lernen sollen?«

»Ich habe es schließlich auch gelernt. Und da war ich schon über siebzig. Eigentlich habe ich erst gelernt zu lächeln, als ich nach Tschernowo zurückgegangen bin.«

Sie ist zusammengezuckt.

Ich habe den Brief wieder an mich genommen und diesmal in einem Schuh versteckt. Irina war das nicht recht, aber ich blieb hart. Sie durfte den Brief lesen, aber er gehört mir. Laura hat mir geschrieben. Immerhin weiß ich jetzt, dass es sich um Englisch handelt. Gutes Mädchen, sie dachte sicher, dass ihre Großmutter eine Fremdsprache kann. Oder dass es für mich leichter wäre, jemanden zu finden, der es mir aus dem Englischen übersetzt, als aus dem Deutschen.

Ich habe meinen Platz an der Nähmaschine zurück. Solange ich Arbeit habe, atme ich ruhiger. Unser Land braucht Kissenbezüge.

Ich habe aufgehört, Briefe zu schreiben. Stattdessen versuche ich, Englisch zu lernen. Ich habe Glück: Die Frau, die links von mir an der Nähmaschine sitzt, kann sich noch an den Englischunterricht aus ihrer Schulzeit erinnern. Sie ist einundzwanzig Jahre alt und verbüßt die Strafe für etwas, das sie mit ihrem neugeborenen Kind gemacht hat. Sie redet nicht darüber, und ich frage auch nicht nach. Sie bringt mir jeden Tag ein englisches Wort bei; ich helfe ihr dafür bei den Nähten.

Meine Finger fühlen sich an, als würden sie gar nicht zu mir gehören. Ich nehme keine Rücksicht darauf. Ich habe seit meinem Schlaganfall sechshundertvierzehn Kissenbezüge genäht. Das ist nicht sehr viel, jüngere Frauen sind doppelt, ja dreimal so schnell wie ich. Aber sechshundertvierzehn Menschen brauchen dank mir nicht auf dem nackten Kissen zu schlafen.

Um zwölf Uhr ist wie immer Pause, wir holen uns dünnen Früchtetee aus dem Kanister, die meisten Frauen rauchen draußen auf dem Hof, ich mache Venengymnastik im Stehen und gucke den Spatzen zu, die zwischen den vielen Füßen in den Gummischuhen nach unsichtbaren Krümeln suchen. Ich denke an die Dompfaffen von Tschernowo und frage mich, ob ich je wieder einen Kranich zu Gesicht bekomme. Dazwischen wiederhole ich die englischen Wörter, die ich in den letzten Tagen gelernt habe. Bag. Eat. Teacher. Girl.

Ich bin noch nicht ganz mit dem sechshundertfünfzehnten Kissenbezug fertig, als draußen ein Tumult ausbricht. Ich sehe nicht auf; ich werde früh genug erfahren, worum es geht. Als sie reinkommen, erschrecke ich, weil sie so zielstrebig auf mich zugehen. Ich denke, das bedeutet nichts Gutes, wenn so viele kommen, um mich abzuholen. Es sind Frauen in Uniformen und Männer in Zivil und umgekehrt, ihre Gesichter verschwimmen, und ich fühle mich sehr alt.

Einer von ihnen tritt heran, bückt sich zu mir herunter und sagt laut, unser Präsident habe mich begnadigt.

Unser Präsident ist ein guter Mann. Ein bisschen sieht er aus wie Jegor in seinen guten Jahren. Nur dass Jegor ein Waschlappen war und der Präsident ein Mann mit einem eisernen Willen ist. Vor so einem hätte ich in der Ehe Respekt gehabt. Er hätte sicher keine Angst vor Tschernowo gezeigt, er hätte sich nicht zwingen lassen, sein Dorf zu verlassen, er hätte wie ich auf die Entschädigung gepfiffen und auf die sinnlosen Sehtests und die Vitamine, die man als Reaktoropfer kostenlos bekam.

Weil unsere Verfassung ein Jubiläum feiert, hat der Präsident viele Verbrecher begnadigt. Ich gehöre dazu. Zwar ist mein Verbrechen schwerer als viele andere, aber mein Alter muss ihn erweicht haben. Vielleicht hat er über mich in der Zeitung gelesen und gedacht, Baba Dunja aus Tschernowo soll nicht in einer Haftanstalt sterben. Er hat ein weiches Herz, wie alle großen Männer.

Es tut mir nur leid um den Kissenbezug, den ich angefangen habe. Ich mache jeden, als wäre es mein letzter, und dieser ist nicht fertig, das quält mich. Ich werde zur Eile angetrieben, denn jetzt bin ich frei. Ich bin darauf nicht vorbereitet. Ich weiß nicht, was ich tun soll. Packen, sagen sie. Also packe ich.

Ich habe nicht viel, die Kleidung gehört der Anstalt, ich lege sie ordentlich zusammen. Irgendjemand schaut immer wieder herein. Ich zische ihn an, ob er noch nie gesehen hätte, wie eine alte Frau drei Unterhosen faltet.

Ich richte das Bett und klopfe das schmale Kissen aus. Meine Sachen lege ich in den Kissenbezug und binde ihn zu.

Ich bin nicht erstaunt, Arkadij zu sehen. Wahrscheinlich will er mitkommen und überwachen, dass alles seine Richtigkeit hat und niemand, wie neulich, meine Blutverdünnungsmixtur mit Toilettenreiniger vertauscht.

Arkadij drängt. Der Presse wurde mitgeteilt, dass ich erst in drei Tagen entlassen werde, damit ich in Ruhe ausreisen kann. Aber bald werden die Ersten kommen, denn Gerüchte verbreiten sich rasch. Er stützt mich, ich habe Mühe, mit ihm Schritt zu halten. Wir überqueren den Hof, ich will noch einmal in die Werkstatt, um mich zu verabschieden. Arkadij hält mich zurück, als ginge es ihm um nichts anderes, als hier möglichst schnell rauszukommen. Meine junge Nachbarin rennt auf mich zu und schiebt mir einen zusammengerollten Zettel in die Hand.

»Englisch-Vokabeln«, flüstert sie. Ich streichle ihr über die zarte Wange und wünsche ihr noch viele gesunde Kinder. Dann drehe ich mich zur Werkstatt um. Frauen in grauen Gefängniskleidern stehen an den Fenstern. Und dann klatschen sie Beifall.

Wenn ich nahe am Wasser gebaut wäre, käme ich zu nichts anderem mehr. Ich lege die Hand aufs Herz. Sie waren anständig zu mir.

Arkadij Sergejewitsch fährt ein schmutziges kleines Auto. Er hat mir einen neuen, etwas zu langen Wintermantel und Handschuhe mitgebracht, weil ich meine warme Kleidung der Anstalt zurückgeben musste. Ich habe ein schlechtes Gewissen, dass kriminelle Leute wie ich ihn davon abhalten, gutes Geld zu verdienen. Von mir hat er keinen Rubel für seine Arbeit bekommen. Ich müsste ihm etwas aus Lauras Teedose geben.

»Sobald ich angekommen bin, werde ich dir Geld schicken.«

»Beeilen Sie sich lieber, Baba Dunja«, sagt er und hält mir die Tür auf. Und so komme ich auf meine alten Tage zu einer Fahrt in einem Privat-Pkw.

Arkadij sagt, man könne mir alles am Flughafen besorgen.

»Was besorgen? Welcher Flughafen?«

»Sie fliegen zu Ihrer Tochter nach Deutschland. Es ist alles geregelt.«

»Also ich«, sage ich, »fliege nirgendwohin. Ich fahre nach Hause.«

Arkadij versteht sofort.

Sein kleiner Fernseher an der Frontscheibe, der ihm den Weg weist, kennt kein Tschernowo.

»Mein Garten ist bestimmt zugewuchert«, sage ich. »Vielleicht könntest du mich am Busbahnhof rauslassen.«

»Ihre Tochter wird mich umbringen«, sagt Arkadij.

In Malyschi hält er kurz, um Schokoriegel und eine Flasche Wasser zu kaufen. Noch nie hat ein fremder Mann Geld für mein Essen ausgegeben.

»Du bist ein guter Junge«, sage ich und stecke die Sachen ein.

Er guckt mich nur an. Später beim Autofahren auch. Es wäre schade, wenn ich ausgerechnet jetzt verunglücken würde, nur weil er sich zu wenig auf die Straßen konzentriert.

Ich frage ihn nach seinem Leben und seiner Arbeit. Wir hatten noch nie Gelegenheit, über etwas anderes zu sprechen als über die Axt im Kopf. Er antwortet vorsichtig, als wäre jedes Wort ein Schritt auf einem Minenfeld. Dann erzählt er, dass er in zwei Monaten Vater wird.

»Ich gratuliere dir von ganzem Herzen!«, sage ich. »Das Kind ist bestimmt gesund? Heutzutage kann man ja richtig reingucken.«

»Mein Frau ist nicht hier«, sagt er. »Ich habe sie nach England geschickt.«

Ich nicke. Dann erzähle ich ihm, welche Blumen ich in meinem Garten habe, während er über die Landstraße fährt. Aufgeräumt weiß liegt die Landschaft vor mir. Die Winter werden immer milder. Als ich noch klein war, hatten wir mehr Schnee. Die Natur braucht den Schnee, um sich auszuruhen.

In Arkadijs Auto sitzt man viel tiefer als im Bus und hört die Steinchen hochfliegen, die die Reifen aufwirbeln. Die Fahrt vergeht schnell. Er hält vor der stillgelegten Pralinenfabrik, neben dem grünen Haltstellenhäuschen, das mit Schnee bestäubt ist. Hier habe ich mich immer von meinen Fußmärschen erholt. Auf dem Pfad durch das Feld sieht man Abdrücke von Hasenpfoten.

»Es tut mir leid, Baba Dunja«, sagt Arkadij und weicht meinem Blick aus.

»Mach dir keine Gedanken«, sage ich. »Ich bin dir sehr dankbar.«

»Ich weiß einfach nicht, was ich sagen soll.«

»Dann sei eben still.«

Ich habe Mühe auszusteigen. Er hält mir die Tür auf und wartet geduldig. Er gibt mir das Kopfkissen mit meinen Sachen.

»Sie kennen noch den Weg?«

»Verlass dich drauf.« Ich klopfe ein paar Schneeflocken von seinem Ärmel. »Vielen Dank für dein Engagement.«

Dann ist er weg. Ich schultere das halb volle Kopfkissen und mache mich auf den Weg.

Ich laufe nicht eine Stunde und nicht zwei. Ich laufe mehr als drei. Es ist, als hätte sich der Weg verlängert, als wäre Tschernowo weitergerückt in der Zeit, in der ich nicht da war. Irgendetwas singt in mir, obwohl ich Schwierigkeiten habe, Luft zu holen. Ich humpele seit dem Schlaganfall, daher tut mir beim Laufen alles weh. Ich bleibe immer wieder stehen, um zu verschnaufen. Zwischendrin überlege ich, ob ich das Kopfkissen einfach liegen lasse.

Andererseits: Wer lässt seine Unterhosen ohne Not im Feld liegen?

Einmal singe ich laut »Es blühten Apfel- und Birnbäume«, um wieder zu Kräften zu kommen.

Zum Glück haben wir keinen Sommer. Die Hitze würde mich jetzt umbringen.

Bald kommt der Frühling nach Tschernowo. Das frische Gras wird sprießen, und die Bäume werden sich zart begrünen. Ich werde in den Wald gehen und Birkensaft zapfen. Nicht, weil ich hundert Jahre werden will, sondern weil es ein Frevel ist, die Geschenke der Natur abzulehnen. Die Vögel werden in den blühenden Apfelbäumen zwitschern. Der Biologe hat mir erklärt, warum unsere Vögel lauter sind als anderswo. Nach dem Reaktor haben mehr Männchen als Weibchen überlebt. Bis heute gibt es dieses Ungleichgewicht. Und es sind die verzweifelten Männchen, die ihre Lieder schmettern auf der Suche nach einer guten Frau.

Ich frage mich, ob ich Petrow noch antreffen werde. Wahrscheinlich nicht. Dass Sidorow noch da ist, dafür würde ich meine Hand auch nicht ins Feuer legen. Vielleicht begrüßen sie mich als Geister. Meine Katze ist sicher noch da. Und Gavrilowas Hühner. Das Haus muss bestimmt erst wieder bewohnbar gemacht werden. Jegor wird da sein. Er wird immer da sein.

Ich verschnaufe noch einmal. Mein Bein tut weh, aber ich muss weiter. Die Häuser von Tschernowo tauchen am Horizont auf wie vereinzelte, krumme Zähne in einem Gebiss.

Hoffentlich ist überhaupt jemand da, denke ich. Wenn niemand da ist, dann wohne ich eben allein, mit all den Geistern und den Tieren. Und warte, wer noch alles zu mir kommt.

Ich denke an Laura. Ich werde immer an Laura denken. Ich denke daran, wie schön es wäre, wenn wir auf der Fahrt hierher den Bus überholt hätten, in dem ein blondes Mädchen säße. Meinetwegen ein kurz geschorenes, tätowiertes blondes Mädchen. Sie wäre ausgestiegen, und ich hätte sie an die Hand genommen und sie nach Hause gebracht. Das ist es, was diesem Mädchen immer gefehlt hat. Sie hatte nie ein Zuhause, weil ich ihrer Mutter nicht beigebracht habe, sich im Leben wohlzufühlen. Ich habe es selbst zu spät gelernt.

Ich werde Englisch lernen und Lauras Brief lesen. So lange bleibe ich noch am Leben, bis ich ihren Brief lesen kann.

Ich nehme einen Schokoriegel aus dem Kopfkissen und stärke mich.

Die Hauptstraße ist mit frischem Schnee bedeckt. Aus Gavrilows Schornstein kommt Rauch. Und Marjas Ziege steht da und knabbert die Rinde meines Apfelbaums an.

»Schschch«, rufe ich. »Weg da, du dummes Tier!«

Die Ziege springt zur Seite. Marja taucht im Fensterrahmen auf.

»Wer schreit da meine Ziege an?«, brüllt sie.

Ich habe das Gefühl, ich sehe sie doppelt. Gerade noch war sie im Haus, und schon stürzt sie aus der Tür. Sie rennt auf mich zu und erdrückt mich fast mit ihrer Umarmung.

»Lass mich los«, schimpfe ich. »Du brichst mir noch alle Knochen. Ich bin keine zweiundachtzig mehr.«

»Ich wusste, dass sie dich freilassen«, flüstert sie. »Ich habe es schon die ganze Zeit gewusst.«

»Woher? Ich wusste es nicht.«

»Du musst mit zu mir, in deinem Haus haben sich die Spinnen breitgemacht.«

»Ich muss mir erst einen Eindruck verschaffen.« Ich drehe Marja den Rücken zu und meinem Haus das Gesicht. Es ist immer noch mein Haus, das werden auch die Spinnen verstehen.

»Iss doch erst mal was!«

»Später«, sage ich. Ich gehe hinüber und lege die Hand an die Klinke. Aus dem Schuppen ertönt ein Miauen, und ein kleines Kätzchen, grau wie Rauch, tappt ins Freie.

»Deine Katze hat schon wieder geworfen«, ruft Marja. »Eins hat keine Augen.«

»Schrei nicht so«, sage ich. »Du bist nicht mehr allein.«

Und dann stoße ich die Tür auf und bin wieder zu Hause.

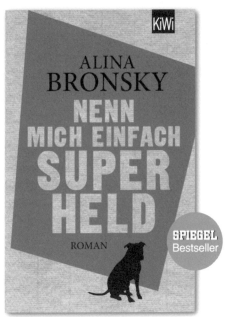

Alina Bronsky. Nenn mich einfach Superheld. Roman.
Taschenbuch. Verfügbar auch als E-Book

Die Geschichte vom Jungen, der sein Gesicht verlor. Alina
Bronsky erzählt vom Aufbruch aus der Isolation, von der Hoffnung auf Verständnis und von der Sehnsucht, als der erkannt
zu werden, der man wirklich ist.

»Das macht eine solche Freude, dieses Buch zu lesen, weil es so
böse, freundlich und herzenswarm ist.« *Volker Weidermann, FAS*

»Was fürs Herz: ein wunderbarer, anrührender und sehr unter-
haltsamer Roman« *Stern*

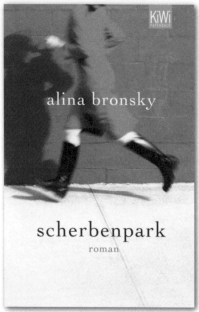

Alina Bronsky. Scherbenpark. Roman. Taschenbuch.
Verfügbar auch als E-Book

Selbstironisch und frech erzählt die junge Russin Sascha von ihrem Leben in Deutschland im Hochhaus-Ghetto »Scherbenpark«, und davon, wie ihre Familie durch ein Verbrechen erschüttert und zugleich berühmt wurde.

»Ein atemloses Stakkato, der Bronsky-Beat. Schon bald entkommt man dem Sog dieses Buchs nicht mehr.« *Frankfurter Allgemeine Zeitung*

»Eine Literatur, die einen unglaublichen Erzählstrom entfaltet [...] der Text hat mich enorm begeistert.« *Ijoma Mangold*

Leseproben und mehr unter www.kiwi-verlag.de

Alina Bronsky. Die schärfsten Gerichte der tatarischen Küche.
Roman. Taschenbuch. Verfügbar auch als E-Book

Die Geschichte der leidenschaftlichsten und durchtriebensten Großmutter aller Zeiten. Alina Bronsky gelingt eine Glanzleistung: Sie lässt ihre radikale, selbstverliebte und komische Hauptfigur die Geschichte dreier Frauen erzählen, die unfreiwillig und unzertrennlich miteinander verbunden sind – in einem Ton, der unwiderstehlich ist.

»Ein aufregendes, sehr empfehlenswertes Buch«
Christine Westermann, Frau TV